D1095870

Хижина
The Shack

Хижина
The Shack

Уильям Пол Янг

*При участии Уэйна Джекобсена
и Брэда Каммингса*

ЭКСМО
Москва

издательство
ДОМИНО
Санкт-Петербург
2010

УДК 82(1-87)
ББК 84(7Кан)
Я 60

William Paul Young

THE SHACK

© 2007 by William P. Young

Оригинал-макет подготовлен Издательским домом «Домино»

Янг У. П.

Я 60   Хижина : роман / Уильям Пол Янг ; пер. с   англ.
Е. Королевой. — М. : Эксмо ; СПб. : Домино, 2010. — 320 с. —
(Сенсация).

ISBN 978-5-699-39455-5

Семейный турпоход закончился трагедией: у Мака пропала младшая дочь. Вскоре в орегонской глуши, в заброшенной хижине, было найдено свидетельство ее вероятной гибели от рук маньяка.

Четыре года спустя так и не смирившийся с утратой отец получает подозрительное письмо, якобы от самого Господа Бога, с советом посетить ту самую лачугу. После долгих колебаний Мак решается на путешествие, которое вдребезги разобьет его представления о природе вещей...

УДК 82(1-87)
ББК 84(7Кан)

ISBN 978-5-699-39455-5

Эта история была написана для моих детей:
Чеда – Тихого Омута;
Николаса – Чуткого Исследователя;
Эндрю – Добросердечной Привязанности;
Эми – Знающей Радости;
Александры (Лекси) – Сияющей Силы;
Мэттью – Наступающего Чуда.

И посвящается,
во-первых:
Ким, моей Возлюбленной,
благодарю тебя за то,
что спасла мне жизнь,

во-вторых:
«...всем нам,
блуждающим во тьме,
кто верует в Любовь.
Восстань, и пусть она сияет».

Предисловие

Кто из нас не усомнился бы, услышав от приятеля заявление, будто он провел все выходные с Богом, да еще и в заброшенной хижине?

Я знаю Мака чуть больше двадцати лет, с того дня, когда мы оба пришли к соседу, чтобы помочь ему тюковать сено, которое он заготовил для пары своих коров. С тех пор мы с Маком, как сказали бы современные дети, тусуемся вместе, пьем кофе, хотя в моем случае это масала-чай, обжигающе горячий и с соей. Разговоры приносят нам удовольствие, они всегда полны смеха, но иногда блеснет и слезинка-другая. Честное слово, чем старше мы становимся, тем больше тусуемся, если вы понимаете, что я имею в виду.

Его полное имя Макензи Аллен Филлипс, хотя большинство знакомых зовут его Алленом. Это семейная традиция: мужчинам всегда дают одно и то же первое имя, поэтому окружающие обычно знают их под вторым, вероятно, чтобы не прибегать к напыщенным цифрам I, II, III или разным там «младший» и «старший». Подобным образом лучше именовать героев телерекламы, в особенности тех, которые ведут себя так, словно они ваши самые близкие друзья.

В общем, он сам и его дед, отец, а теперь и старший сын носят имя Макензи, но обычно их называют вторым именем. Только Нэн, его жена, да близкие друзья зовут его Маком (хотя пару раз я слышал, как совершенно незнакомые люди кричали: «Эй, Мак, где ты учился водить машину?»).

Мак родился на Среднем Западе, в фермерской семье — обычный парнишка с ирландскими корнями, с детства привычный к тяжелому физическому труду. Его отец, хоть и служил церковным старостой, был запойным пьяницей. Мак никогда о нем особенно не распространялся, но если все-таки рассказывал, то лицо у него принимало отсутствующее выражение, а глаза становились пустыми. Из его случайных обмолвок я понял, что его отец был не из тех алкоголиков, которые напиваются и, счастливые, заваливаются спать, нет, он принадлежал к той гнусной разновидности пьяниц, которые сначала избивают жену, а потом просят у Господа прощения.

Переломный момент в жизни семьи наступил, когда тринадцатилетний Макензи, с неохотой согласившийся исповедаться священнику, проникся настроением минуты и в слезах покаялся, что ни разу не попытался защитить мать, которую пьяный отец неоднократно бил смертным боем. Увы, Мак не учел, что священник молился вместе с его отцом. Вернувшись домой, мальчик увидел, что папаша уже поджидает на крыльце, причем мать и сестры подозрительным образом отсутствуют. Позже он узнал, что их услали к тете Мэй, чтобы отец мог в надлежащей мере привить взбунтовавшемуся сыну уважение к старшим. Почти два дня, привязав Мака к большому дубу, папаша потчевал его то ремнем, то чтением Библии, а когда трезвел, снова прикладывался к бутылке.

Спустя две недели, как только Мак смог ходить, он ушел из дома. Но перед тем насыпал крысиной отравы во все бутылки с выпивкой, какие сумел найти на ферме. После чего выкопал из тайника рядом с отхожим местом небольшую жестянку, заключавшую в себе его сокровища: семейную фотографию, на которой все щурились, потому что смотрели на солнце (отец стоял в стороне от остальных); бейсбольную карточку с Люком Истером за 1950-й год, когда тот был дебютирующим игроком; флакончик, в котором оставалось с унцию «Ма Грифф» (единственных духов, какими пользовалась его мать); катушку ниток с парой иголок; серебристую литую модель самолетика F-86 военно-воздушных сил США и сбережения всей его жизни — пятнадцать долларов и тринадцать центов. Он прокрался в дом и сунул под подушку матери записку, пока отец храпел после очередного возлияния. Мак написал только: «Надеюсь, когда-нибудь ты меня простишь». Поклялся, что не вернется, и не возвращался, долго не возвращался.

В тринадцать лет трудно одному, но у Мака не было выбора, и он приспособился. Он редко рассказывал о том, как жил последние семь лет. Большую их часть он провел в чужих краях, работал и посылал деньги бабушке с дедом, чтобы они передавали их матери. В одной далекой стране, как я понял, он даже участвовал в вооруженном конфликте — войну он с тех пор ненавидит лютой ненавистью, — а когда ему перевалило за двадцать, уехал в Австралию и там поступил в семинарию, где некоторое время изучал теологию и философию, после чего вернулся в Штаты. Он повидался с матерью и сестрами и уехал в Орегон, а там познакомился с Нэннетт А. Сэмюэльсон и женился на ней.

Мак — не болтун, а мыслитель и деятель. Он не говорит, а роняет слова, если только вы не спросите его о чем-нибудь прямо в лоб, чего большинство народу предпочитает не делать. А когда он все-таки начинает говорить, у вас возникает мысль, уж не пришелец ли он с другой планеты, который смотрит на человеческие идеи и поступки совсем иными глазами.

Дело в том, что он заставляет вас чувствовать себя неуютно в мире, где вы обычно слышите только то, что слышали всегда, а значит, не слишком многое. Те, кто с ним знаком, как правило, относятся к нему неплохо, правда, лишь пока он держит свои мысли при себе. Но и когда он высказывает их вслух, приятели вовсе не меняют о нем своего мнения, просто они перестают быть довольными самими собой.

Мак однажды сказал мне, что в молодости он был более откровенен с людьми, но потом понял, что в большинстве случаев его высказывания — всего лишь защитная реакция, которая позволяла ему скрывать собственные раны, и он часто заканчивал разговор тем, что просто-напросто изливал свою душу окружающим. Он говорит, что имел дурную привычку указывать людям на их недостатки, таким образом унижая их и за счет этого самоутверждаясь, испытывая ложное ощущение собственного превосходства и власти над ними.

Вот я пишу все эти слова и представляю Мака таким, каким знал: по виду совершенно заурядный человек, ей-богу, ничем не примечательный для тех, кто не знает его по-настоящему. Ему скоро стукнет пятьдесят шесть, это несколько полноватый, лысеющий, невысокий мужчина, белый. Вы, скорее всего, не выделите его из толпы, не ощутите ничего необычного, сидя рядом с ним в автобусе, пока он дремлет во время своей еженедельной поездки в город на деловую встречу. В основном он работает в маленьком кабинете у себя дома, на Уайльдкэт-роуд. Он продает что-то из области высоких технологий и технических новинок, я даже притворяться не стану, будто что-то в этом понимаю, какие-то штуковины, которые непонятным образом ускоряют жизнь, как будто жизнь и без того не достаточно быстра.

Вы и не догадаетесь, насколько Мак умен, пока не случится вам услышать, как он беседует с каким-нибудь специалистом. Я однажды присутствовал при подобном разговоре: его язык вдруг сделался мало похожим на английский, и я поймал себя на том, что изо всех сил стараюсь уловить его мысль, разливающуюся, словно река по драгоценным камням. Вообще он способен поддержать разговор почти на любую тему, и, хотя вы чувствуете, что у него имеются неколебимые убеждения, он ведет себя так деликатно, что позволяет вам сохранить при себе ваше мнение.

А любимые его темы — это Бог и Творение, и еще почему люди верят в то, что делают. Глаза его загораются, уголки губ в улыбке поднимаются кверху, обычное усталое выражение лица исчезает, он становится похож на маленького мальчика и не может сдержать эмоций. В то же время он не слишком религиозен. Пожалуй, его отношение к религии и, может быть, даже к Богу можно охарактеризовать в двух словах: «любовь-ненависть». Бог, по его мнению,— это высокомерный угрюмец, отчужденный от нашего мира. Сдержанность Мака порой дает трещину, и оттуда выскакивают шипы сарказма, похожие на острые дротики, обмакнутые в спрятанный глубоко внутри ядовитый источник. Хотя мы оба посещаем по воскресеньям одну и ту же церковь с ее традиционными скамьями и пюпитрами (церковь имени Пятьдесят пятой независимой ассамблеи святого Иоанна-крестителя, как мы ее называем), я-то вижу, что ему там не очень уютно.

Мак прожил с Нэн больше тридцати почти полностью счастливых лет. Он говорит, что Нэн спасла ему жизнь и дорого заплатила за это. По какой-то причине, мне не понятной, она, кажется, любит его сейчас сильнее, чем раньше, хотя у меня такое чувство, что в молодости он сильно ее обидел. Полагаю, большинство наших обид вплетается в ткань взаимоотношений, и я знаю, что прощение редко несет в себе какой-то смысл для тех, кто наблюдает со стороны.

Как бы то ни было, Мак женат. Нэн подобна кладочному раствору, который не позволяет развалиться семейному очагу. Пока Мак сражается в мире, состоящем из бесконечных оттенков серого, она живет в мире черно-белом. Здравый смысл присутствует в Нэн настолько естественно, что она даже не считает его даром Божьим. Заботы о семье не позволили ей осуществить мечту юности и выучиться на врача, но в качестве медсестры она преуспела и довольно широко известна в медицинских кругах, поскольку работает с особенными пациентами, а именно — с неизлечимыми онкологическими больными. И если Маку свойственна широта охвата веры, то Нэн — глубина.

Эти, казалось бы, не очень подходящие друг другу люди произвели на свет пятерых невероятно красивых детей. Мак любит пошутить, что свою красоту они унаследовали от него, «поскольку красота Нэн осталась при ней». Двое из трех мальчиков уже не живут с родителями: Джон, недавно женившийся, занимается продажами в одной местной компании, Тайлер, только что окончивший колледж со степенью магистра, уехал и преподает в школе. Джош и одна из девочек, Кэтрин (Кейт), пока еще живут с родителями, учатся в местном колледже. И последняя, поздний ребенок, Мелисса, или Мисси, как мы любили ее называть, она... впрочем, скоро вы узнаете о них больше, читая эти страницы.

За последние годы Мак очень изменился и стал уже вообще ни на кого не похож. Сколько я его помню, он всегда был мягким и добросердечным, но после того, как попал три года назад в больницу, он превратился в одного из тех редких людей, с которыми чувствуешь себя уютно, как ни с кем другим. Когда мы расстаемся, у меня возникает ощущение, будто я только что вел самую важную в своей жизни беседу, пусть даже говорил в основном я один. А что касается отношения к Богу, то Мак теперь уже не растекается вширь, а уходит вглубь. Однако подобное погружение дорого ему обошлось.

Сейчас он ведет себя совсем не так, как лет семь назад, когда в его жизнь вошла Великая Скорбь и он замкнулся в себе. В то время, словно по какому-то безмолвному соглашению, мы с ним почти не тусовались. Я изредка встречал его в бакалейной лавке и еще реже в церкви, и хотя мы обменивались приветственными объятиями, говорили после этого не много. Он даже избегал смотреть мне в глаза, наверное, ему не хотелось заводить разговор, который мог бы разбередить его израненное сердце.

А нынешние перемены произошли после ужасного несчастного случая с... Ну вот, снова я забегаю вперед. Всему свое время. Достаточно сказать, что последние несколько лет вернули Мака к жизни и сняли с него груз Великой Скорби, полностью изменив мелодию его жизни, и я не в силах дождаться, когда можно будет эту самую песню исполнить для вас.

Несмотря на то что Мак способен прекрасно выражать свои мысли, беседуя с вами, он чувствует себя неуверенно, когда дело доходит до письма, к которому у меня, как он знает, страсть. Поэтому он и попросил меня записать эту историю «для детей и для Нэн». Ему это нужно было для того, чтобы они поняли, как сильно он их любит и что происходит в его внутреннем мире. Вы знакомы с этим местом, местом, где в полном одиночестве пребываете вы сами, ну и еще, возможно, Бог, если вы в него верите. Разумеется, Бог может присутствовать там, даже если вы в него не верите. Это очень на него похоже.

То, о чем вы сейчас прочитаете, мы с Маком пытались облечь в слова на протяжении многих месяцев. Все это как бы... в общем, все это совершенно фантастично. Правдивы ли некоторые эпизоды этого повествования или нет, я судить не берусь. Достаточно сказать, что хотя многое описанное здесь нельзя подтвердить научным путем, оно тем не менее может оказаться правдой. Скажу честно, меня до глубины души волнует то, что я сам стал частью этой истории, побывал там, где никогда не был раньше, и не думал даже, что подобные места могут существовать; признаюсь как на духу, мне ужасно хочется, чтобы все рассказанное Маком оказалось правдой. Большую часть времени я провожу с ним, но бывают дни, когда зримый мир из бетона и компьютеров кажется настоящим, и я теряю нить, и приходят сомнения.

И еще несколько предварительных замечаний. Если вдруг эта история придется вам не по душе, Мак скажет только: «Прошу прощения, но изначально это писалось не для вас». И снова повторюсь: возможно, это происходило на самом деле. То, что вы прочитаете, это все, что запомнил о случившемся Мак. Это его история, а не моя, поэтому в тех считаных эпизодах, когда я появляюсь, я говорю о себе в третьем лице.

Память ненадежный товарищ, особенно когда речь идет о катастрофе, и я не очень удивлюсь, если, несмотря на наши старания передать все как было, какие-то фактические ошибки и искаженные воспоминания отразились на этих страницах. Это произошло непреднамеренно. Гарантирую вам, что диалоги и события настолько правдивы, насколько сумел передать их Мак, поэтому прошу вас, проявите к нему снисхождение. Вы сами увидите, что рассказывать о подобном не так-то просто.

Вилли

Глава 1

Пересечение путей

На середине жизни – развилка двух дорог.
Я слышал мудрого слова,
Как выбрал он тропу, что хожена едва,
И изменить потом уж ничего не мог.

— Ларри Норман —
(принося свои извинения Роберту Фросту)

После необычайно сухой зимы выдался дождливый март. А потом пришел холодный атмосферный фронт из Канады, и его удерживал на месте ветер, с ревом несущийся по каньону с Восточного Орегона. Хотя весна была уже на подходе, бог зимы не собирался сдавать свои позиции без боя. Снегом покрылись окрестные горы, и дождь замерзал, падая на холодную землю вокруг дома, — отличный повод, чтобы устроиться с книжкой и горячим сидром возле жарко полыхающего камина.

Но вместо этого Мак провел все утро за компьютером. Удобно расположившись в домашнем кабинете, в пижамных штанах и футболке, он занимался продажами, главным образом на Восточном побережье. Он часто прерывался, прислушиваясь к звонкому стуку ледяных бусин в стекла и наблюдая, как пейзаж за окном медленно, но верно скрывается под пологом снега, тотчас становившегося льдом. К несказанному своему восторгу, Мак понял, что еще немного — и он станет узником ледяной тюрьмы.

Ах, какая это радость, когда буря, снегопад или ледяной дождь нарушают привычный ход вещей. В отличие от болезни, претерпевать которую приходится в одиночку, непогода так или иначе касается всех без исключения. Ты почти слышишь, как с облегчением дышат близлежащий город и его окрестности, которым Природа, вмешавшись, позволила отвлечься от утомительной человеческой суеты. Не нужно ни перед кем извиняться, что не выполнил то или иное поручение. Все согласны: это действительно уважительная причина. Нежданное освобождение от тягостной необходимости что-либо делать, от тирании назначенных встреч и расписаний наполняет сердце весельем.

Конечно же, справедливо и то, что бури мешают бизнесу, и пока одни компании зарабатывают больше, чем обычно, другие терпят убытки, то есть находятся и такие люди, которые не испытывают радости от временного прекращения всякой деятельности. Но им некого винить за спад производства или за то, что кто-то из-за снежных заносов не смог добраться до офиса. И даже если подобный период длится не больше двух-трех дней, каждый ощущает себя хозяином своего собственного мира, и происходит это всего лишь потому, что капли воды замерзли, прежде чем удариться о землю.

В такие дни даже повседневные занятия превращаются в своего рода приключение. После обеда Мак оделся потеплее и вышел на улицу, чтобы добраться по длинной подъездной дорожке до почтового ящика. Лед волшебным образом превратил эту обычную ежедневную прогулку в опасную вылазку, в нечто вроде вызова, брошенного стихиям. Мак размахивал руками в попытке противостоять грубому напору ветра и смеялся ему в лицо. Тот факт, что никто не видит его подвигов, мало его беспокоил, но сама мысль о том, что эти действия можно назвать героическими, заставила его улыбнуться.

Ледяные дробинки жалили щеки и руки, пока он осторожно преодолевал еле заметные неровности скользкой подъездной дорожки, пошатываясь, словно пьяный матрос, упорно стремящийся к двери кабака. Когда в лицо хлещет ледяной ураган, крайне трудно двигаться вперед, демонстрируя неукротимую уверенность. Буря разыгралась не на шутку, и Маку дважды пришлось подниматься с колен, прежде чем он сумел обнять почтовый ящик, словно давно потерянного друга.

Он помедлил, наслаждаясь красотой окружающего мира, заключенного в хрусталь. Все вокруг отражало свет, внося свой вклад в величественное сияние уходящего дня. Деревья в поле по соседству набросили прозрачные мантии и замерли в неповторимом великолепии. Мир был восхитителен, и на короткий миг его ослепительное величие заставило Мака забыть о Великий Скорби.

Он с трудом сбил лед, намертво сковавший дверцу почтового ящика. Наградой за старания оказался всего один конверт с напечатанной на нем фамилией Мака: ни марки, ни штемпеля, ни обратного адреса. Заинтригованный, он надорвал край конверта; это было непросто, если учесть, что пальцы закоченели от холода. Повернувшись спиной к ветру, от которого перехватывало дыхание, он вытряхнул из конверта маленький прямоугольник бумаги. И прочел отпечатанные на машинке слова:

Макензи!

Прошло уже много времени. Я скучаю по тебе.

В следующие выходные буду в хижине на случай, если ты захочешь встретиться.

Папа

Мак застыл, на него накатила волна дурноты, которая так же быстро перешла в приступ гнева. Он старался не вспоминать об этой хижине, а если все-таки вспоминал, то всегда с недоброй усмешкой. Если это чья-то шутка, то на редкость скверная. А подпись «Папа» делает ее просто отвратительной.

— Идиот,— пробормотал он, подумав о почтальоне Тони, веселом итальянце с добрым сердцем и полным отсутствием такта.

Как он вообще мог принести такой странный конверт? На нем даже нет марки. Мак сердито затолкал конверт и записку в карман пальто и повернулся, собираясь начать скольжение в сторону дома. Порывы ветра подталкивали его в спину, и если на пути к ящику они мешали, то теперь, наоборот, помогали двигаться по скользкому льду в направлении дома.

Он благополучно прошел большую часть пути, пока не добрался до того места, где дорожка отлого уходила влево. Без всякого намерения он прибавил шагу, подошвы скользили, он чувствовал себя беспомощным, подобно утке, опустившейся на замерзший пруд. Отчаянно размахивая руками в надежде сохранить равновесие, Мак понял, что его несет прямо на единственное дерево, растущее у дорожки, то самое, нижние ветви которого он обрубил несколько месяцев назад. И вот теперь оно было готово принять его в объятия, явно предвкушая небольшой реванш. Подумав об этом, он попытался шлепнуться на землю, решив, что лучше набить синяк на мягком месте, чем выковыривать занозы из лица.

Однако выброс адреналина подействовал на чувство равновесия, и Мак увидел, словно в замедленной съемке, как его ноги взлетают вверх, словно он угодил в петлю-ловушку среди джунглей. Удар пришелся в основном на затылок, и Мак затормозил у подножия дерева, которое как будто взирало на него с презрением и легким разочарованием.

Мир на мгновение почернел, во всяком случае, так почудилось Маку. Он лежал, оглушенный, и смотрел в небеса, морщась, потому что ледяной бисер сыпался на разгоряченное лицо.

— Ну и кто теперь идиот? — спросил он себя, надеясь, что никто его не видел.

Струи дождя затекали под пальто и свитер, и Мак понимал, что холод скоро проберет до костей. По-стариковски постанывая, он встал на четвереньки и только тогда заметил алый след, обозначающий его путь от места падения к месту окончательной остановки. Между тем тупая боль начала растекаться по затылку. Он инстинктивно потянулся к источнику боли, и рука окрасилась кровью.

Обдирая ладони и колени о шершавый лед и острый гравий, Мак наполовину полз, наполовину скользил, пока не выбрался на ровный участок дорожки. С немалым усилием он поднялся на ноги и побрел к дому, посрамленный силой льда и земного притяжения.

В доме Мак принялся стаскивать с себя одежду, но замерзшие пальцы слушались плохо. Он решил оставить промокшую, испачканную кровью одежду там, где скинул ее, у входной двери, и, продолжая стонать, двинулся в ванную осматривать раны. Не было никаких сомнений, что заледенелая дорожка одержала победу. Царапина на затылке сочилась кровью, несколько крошечных камешков прилипло к волосам. Как он и опасался, уже набухла изрядная шишка, она торчала, словно горб кита, вынырнувшего из океанских глубин.

Было не просто обработать рану, пытаясь при помощи карманного зеркальца разглядеть затылок, отражающийся тыльной стороной в зеркале ванной. Вскоре он оставил эту затею, будучи не в состоянии заставить руки двигаться в нужном направлении и не зная, какое из двух зеркал ему лжет. Однако, ощупывая голову, он сумел удалить самые крупные частицы налипшего мусора, пока ему не сделалось слишком больно, чтобы продолжать процедуру. Выхватив из аптечки какое-то снадобье для оказания первой помощи, он, как сумел, смазал рану, а затем обвязал голову банным полотенцем, проложив бинтом, который обнаружил в шкафчике. Бросив на себя взгляд в зеркало, он решил, что похож на матроса из «Моби Дика», и засмеялся, морщась.

Придется ждать возвращения Нэн домой, тогда ему будет оказана настоящая медицинская помощь: одна из привилегий, доступных мужу квалифицированной медсестры. Кроме того, чем хуже он будет выглядеть, тем больше получит сочувствия. За любое испытание полагается награда, если испытание было достаточно серьезным. Он проглотил пару таблеток обезболивающего, чтобы заглушить пульсацию в затылке, и поковылял к входной двери.

Мак ни на секунду не забывал о записке. Обшарив кучу мокрой и грязной одежды, он наконец нашел ее в кармане пальто, а затем направился обратно в кабинет. Отыскал в справочнике и набрал номер телефона почты. Как он и ожидал, трубку сняла Анни, начальница почтового отделения и хранительница чужих тайн.

— Привет, там поблизости, случайно, нет Тони?

— Привет, Мак, это ты? Узнала по голосу. — Конечно, она узнала. — Извини, но Тони еще не вернулся. Я только что разговаривала с ним по рации, он на полпути к Уайльд-кэт и до тебя еще не добрался. Хочешь, я свяжусь и попрошу его позвонить тебе? Или что-нибудь ему передать?

— Это ты, Анни? — не смог удержаться он, хотя говорок уроженки Среднего Запада не оставлял никаких сомнений. — Прости, я сейчас был очень занят. Не услышал ни слова из того, что ты сказала.

Она засмеялась.

— Слушай, Мак, я знаю, что ты слышал каждое слово. Не вчера родилась. Что передать, если он все же вернется живым?

— На самом деле ты уже ответила на мой вопрос.

На другом конце провода помолчали.

— На самом деле я не помню, чтобы ты задавал вопросы. Что с тобой, Мак? По-прежнему куришь слишком много дури или ты делаешь это только по воскресеньям, чтобы церковная служба проходила быстрее? — Тут она захохотала, ужасно довольная своим незаурядным чувством юмора.

— Слушай, Анни, ты же знаешь, что я не курю дурь, и никогда не курил, и не собираюсь. — Естественно, Анни ничего такого не знала, но Мак решил не рисковать, ведь неизвестно, что она вспомнит из их разговора через денек-другой. Уже не раз ее чувство юмора делало буквально из ничего веселенькую историю, которая вскоре становилась «фактом». Он уже видел, как его имя добавляется в список тех, за кого надо помолиться. — Ну ладно, ничего страшного, я просто поговорю с Тони в другой раз.

— Ладно так ладно, ты лучше сиди дома. Знаешь же, старички вроде тебя с годами теряют чувство равновесия. Не хочу, чтобы ты поскользнулся и ушиб свою гордость. Если погода ухудшится, Тони может и вовсе до тебя не добраться. Мы в состоянии справиться со снегом, слякотью и темнотой, но сегодняшний град — это что-то! Самый настоящий вызов всем нам.

— Спасибо, Анни. Постараюсь не забыть твой совет. Потом поговорим. Пока.

Голова гудела сильнее, чем раньше, крошечный копер бил в ритме его сердца. «Странно, — подумал он, — кто же осмелился положить такое в наш почтовый ящик?» Болеутоляющее еще не подействовало по-настоящему, но приглушило тревогу. Он вдруг ощутил ужасную усталость. Положив голову на письменный стол, он, как показалось, всего на миг провалился в сон, прежде чем его разбудил телефонный звонок.

— А... алло?

— Привет, милый. Ты что, спишь?

Это звонила Нэн, голос ее звучал необычайно бодро, хотя ему показалось, что он слышит все ту же затаенную грусть, которая скрывалась под поверхностью любого их разговора. Она любила такую погоду не меньше, чем он. Он зажег настольную лампу, взглянул на часы и удивился, что пробыл в отключке так долго.

— Ага, извини. Кажется, немного вздремнул.

— Просто голос какой-то сиплый. У тебя все в порядке?

— Угу. — Хотя за окном было почти темно, Мак видел, что непогода не отступила. К толщине снежного покрова наверняка прибавилась пара дюймов льда. Ветви дерева склонились совсем низко, и он подумал, что какая-нибудь из них непременно сломается, если поднимется ветер. — У меня тут произошла небольшая стычка с нашей дорожкой, когда я выходил за почтой, но за исключением этого все в полном порядке. А ты где?

— Я все еще у Арлин, думаю, нам с детьми лучше и переночевать здесь. Кейт полезно побыть в кругу семьи... кажется, это помогает ей восстановить душевное равновесие. — Арлин звали сестру Нэн, жившую за рекой, в штате Вашингтон. — Погода такая, что лучше пока сидеть на месте. Надеюсь, к утру прояснится. Жаль, что мы не успели попасть домой до начала урагана, но что теперь говорить. — Она помолчала. — Как там дома?

— Ну, снаружи все сказочно красиво, но безопаснее смотреть на это из окна, чем гулять, уж ты мне поверь. Я и слышать не хочу о твоем возвращении домой в такую погоду. Никто никуда не едет. Сомневаюсь, что Тони сумеет доставить нам почту.

— А я думала, ты уже ее получил, — удивилась она.

— Нет, я думал, что Тони уже приезжал, поэтому вышел проверить. Но, — он колебался, глядя на записку, которая лежала перед ним на письменном столе, — почты еще не было. Я звонил Анни, она сказала, что Тони, может быть, вообще не сумеет подняться на наш холм, и лично я не собираюсь еще раз выходить из дома, чтобы выяснить, сумел ли он это сделать. Кстати, — быстро сменил он тему, чтобы избежать лишних расспросов, — как там Кейт?

Последовало молчание, затем долгий вздох. Когда Нэн заговорила, она понизила голос до шепота, и он понял, что супруга на другом конце линии прикрывает рот рукой.

— Если бы я знала, Мак. Говорить с ней — все равно что со скалой. Чего я только не делала, чтобы она отозвалась. Когда вокруг полно родни, она вроде бы немного высовывается из своей раковины, а потом снова прячется. Я просто не знаю, как быть. Все молюсь и молюсь, чтобы Папа помог нам отыскать способ достучаться до нее, но...— она снова помолчала,— такое впечатление, будто он не слушает.

Папой было у Нэн любимое прозвище Бога.

— Милая, я уверен, Господь знает что делает. Все еще образуется.— Эти слова не принесли ему ни малейшего утешения, но он надеялся, что они помогут успокоить тревогу, которая звучала в ее голосе.

— Я знаю,— вздохнула она.— Мне бы только хотелось, чтобы он поторопился.

— И мне тоже.— Это все, что сумел придумать Мак.— Ну, так вы оставайтесь ночевать, не рискуйте. Передай привет Арлин и Джимми, поблагодари от моего имени. Надеюсь, завтра увидимся.

— Хорошо, милый. Мне надо помочь остальным. Все суетятся в поисках свечей, боятся, что вырубится электричество. Тебе бы тоже не мешало об этом позаботиться. Свечи есть в подвале, а в морозильнике остались пирожки, их можно разогреть. Уверен, что у тебя все в порядке?

— Ну, больше всего пострадала моя гордость.

— Что ж, не обращай внимания, надеюсь, завтра увидимся.

— Хорошо, дорогая. Берегите себя. Позвони, если вам что-нибудь понадобится. Пока.

Какая глупость — говорить такое, подумал он, повесив трубку. Как будто он сможет помочь, если им действительно что-то понадобится.

Мак сидел и смотрел на письмо. Ему становилось больно, когда он пытался разобраться в какофонии тревожных чувств и туманящих разум образов — миллион мыслей проносился в голове со скоростью миллион миль в час. В итоге он встал, сложил записку и кинул в жестянку, после чего выключил свет.

Мак отыскал еду, которую можно было разогреть в микроволновке, прихватил подушку с одеялом и направился в гостиную. Взглянув на часы, отметил: только что началась программа Билла Мойера, любимая телепередача, которую он старался не пропускать. Мойер был одним из немногих людей, с кем Мак хотел бы познакомиться, блистательный и прямодушный, способный с неподражаемой прямотой выразить искреннее сострадание и к людям, и к идее. Один из сюжетов этого вечера был посвящен нефтепромышленнику, который вдруг начал заниматься добычей, ни много ни мало, воды.

Почти машинально, даже не отрывая взгляда от экрана, Мак протянул руку к краю стола, взял рамку с фотографией маленькой девочки и прижал к груди. Другой рукой он натянул до подбородка одеяло.

Вскоре комната наполнилась похрапыванием. Голубой экран показывал сюжет про выпускника средней школы в Зимбабве, которого избили за антиправительственные высказывания. Однако Мак уже сражался со сновидениями: возможно, хотя бы сегодня ему не приснятся кошмары, возможно, будут только сны о заледенелой дорожке и о силе тяжести.

Глава 2

Сгущающаяся тьма

*Ничто не делает нас такими одинокими,
как наши тайны.*

— Поль Турнье —

Среди ночи задул чинук, освобождая от ледяной хватки долину реки Уилламетт, кроме лишь тех участков, которые лежали в самой глубокой тени. За сутки сделалось по-летнему тепло. Мак забылся одним из тех лишенных сновидений снов, которые, кажется, занимают всего миг.

Когда он сполз с дивана, то даже несколько огорчился, что ледяные украшения так быстро испарились, зато он был рад видеть Нэн и детей, подъехавших меньше чем через час. Последовал внушительный нагоняй за то, что он не положил в стирку испачканные кровью вещи, сменившийся серией охов и ахов, которыми сопровождался медицинский осмотр его травм. Такое внимание в высшей степени польстило Маку. Нэн умело обработала рану, наложила повязку и накормила его. О записке, хоть она и не выходила у

Мака из головы, он не упомянул. Он все еще не знал, что думать, и не хотелось, чтобы Нэн узнала о письме, — вдруг это все-таки окажется чьим-то жестоким розыгрышем.

Мелкие раздражители вроде ледяной бури всегда были кстати, они, пусть ненадолго, отвлекали Мака от навязчивого присутствия его постоянного спутника, Великой Скорби, как он ее называл. Явившаяся по окончании того лета, когда исчезла Мисси, Великая Скорбь легла на плечи Мака, словно невидимое, зато осязаемо тяжелое покрывало. От этого бремени у него потускнели глаза и ссутулились плечи. Все попытки избавиться от Великой Скорби были тщетны, как будто он каким-то образом сделался ее частью. Он ел, работал, любил, видел сны и играл в этом тяжком одеянии, пригибавшем его к земле; он был вынужден ежедневно проталкиваться сквозь атмосферу серой тоски, которая высасывала краски из всего вокруг.

Временами он ощущал, как Великая Скорбь, словно сокрушительные кольца удава, медленно сдавливает ему грудь и сердце, выжимает жидкость из глаз. Иногда ему снилось, что он вязнет по колено в глине, и тут он замечал, что впереди по лесной тропинке бежит Мисси, ее красный летний сарафан из хлопка, расшитого цветами, мелькает между деревьями. Она не знает, что за ней крадется черная тень, которую он, Мак, видит. Он силится закричать, предостеречь дочурку, но не может издать ни звука; он каждый раз оказывается слишком медлительным, чтобы ее спасти. После подобных кошмаров он вскакивал с кровати в холодном поту, дурнота, вина и раскаяние скатывались с него, словно воды какого-то сюрреалистического прилива.

История исчезновения Мисси, к несчастью, ничем не отличается от других подобных историй. Все случилось во время праздника Дня труда, то есть перед началом нового учебного года и обычных осенних хлопот. Мак принял смелое решение взять троих младших детей в поход с палатками на озеро Валлова, расположенное на северо-востоке Орегона. Нэн уже успела записаться на курсы повышения квалификации в Сиэтле, двое старших мальчиков вернулись в колледж. Мак был уверен, что в должной степени владеет как умениями бывалого туриста, так и навыками ухода за детьми. Все-таки Нэн натаскала его как следует.

Приключенческий дух и походная лихорадка захватили всех, и дом превратился в водоворот кипучей деятельности. Мак подогнал фургон к входной двери, и все начали перетаскивать в него нужные для поездки вещи, которых набралось немало. В какой-то момент Мак решил, что нуждается в передышке, и уселся на стул, предварительно согнав с него кота по кличке Иуда. Он уже собирался включить телевизор, когда в комнату вошла Мисси, неся небольшую коробку из плексигласа.

— Можно взять в поход мою коллекцию насекомых? — спросила Мисси.

— Этих жуков? — рассеянно переспросил Мак.

— Папа, это не жуки. Это насекомые. Смотри, их тут много.

Мак с неохотой уделил внимание дочери, которая начала рассказывать о содержимом драгоценной коробки.

— Смотри, вот два кузнечика. А вон на том листике, видишь, моя гусеница, и где-то тут... Вот она! Видишь божью коровку? И еще есть муха и несколько муравьев.

Пока она перечисляла свои экспонаты, Мак изо всех сил старался делать заинтересованное лицо и постоянно кивал.

— Вот,— завершила Мисси.— Можно мне взять их с собой?

— Конечно можно, детка. Наверное, мы даже позволим им погулять на свободе, пока будем на озере.

— Нет, нельзя! — раздался голос из кухни.— Мисси, милая, коллекцию надо оставить дома. Поверь, здесь твоим насекомым будет лучше.— Нэн стояла в дверном проеме и хмурилась, глядя на Мака, который в ответ только пожал плечами.

— Я старался, как мог, детка,— шепотом сказал он Мисси.

— Ну вот,— проворчала та, но, понимая, что битва проиграна, взяла свою коробку и ушла.

К вечеру четверга фургон был нагружен под завязку, а двухколесный автоприцеп с тентом оснащен фарами и проверен на предмет работы тормозов. Рано утром в пятницу, после того как Нэн прочитала детям лекцию о необходимости соблюдать правила безопасности, слушаться, чистить зубы по утрам, не таскать за шкирку кошек с белыми полосками и не делать много чего еще, они отбыли: Нэн на север, в Вашингтон, по соединяющему штаты шоссе 205, а Мак с тремя амиго — на восток, по шоссе номер 84. Планировали вернуться домой во вторник вечером, перед первым учебным днем.

Ущелье реки Колумбия само по себе стоит того, чтобы в нем побывать, от тамошней панорамы захватывает дух, изрезанные рекой горы возвышаются сонными стражами в теплом небе позднего лета. Сентябрь и октябрь — лучшие месяцы в Орегоне, бабье лето часто наступает как раз ко Дню труда и длится до самого Хеллоуина, после чего вскоре становится холодно, мокро и противно. Тот год не был исключением. Движение на дороге и погода были самые что ни на есть благоприятные.

Они остановились у водопада Мултномах, чтобы купить книжку-раскраску, карандаши для Мисси и две недорогие водонепроницаемые фотокамеры для Кейт и Джоша. Потом решили пройти вдоль дороги до моста, чтобы полюбоваться водопадом. Когда-то там была тропинка, которая огибала озеро и вела в просторную пещеру за каскадом, но, к сожалению, власти парка запретили ходить по ней из-за угрозы эрозии. Мисси попросила отца рассказать легенду о прекрасной индейской девушке из племени мултномах. Уговаривать пришлось долго, но в конце концов Мак сдался и изложил эту историю, пока все они смотрели в туман, саваном окутавший водопад.

В легенде говорилось о единственной дочери, оставшейся у престарелого отца. Вождь обожал ее и потому решил выдать замуж за молодого воина, вождя племени клатсоп, в которого она была влюблена. Оба племени собрались на свадьбу, но не успело начаться торжество, как вспыхнула ужасная болезнь и распространилась по стойбищам, убивая многих.

Старейшины и вожди совещались, стараясь понять, как же бороться с заразой, которая уносила все новые и новые жизни. Самый старый шаман поведал, что еще его отец, умирая, предсказал некую ужасную болезнь, которая уничтожит всех людей, и остановить ее сможет только невинная дочь вождя, по доброй воле отдавшая жизнь за свой народ. Чтобы пророчество сбылось, она должна взойти на утес над Большой рекой, спрыгнуть и разбиться о скалы.

Дюжина молодых женщин, все дочери разных вождей, предстали перед советом. После долгих обсуждений старейшины решили, что не могут просить их о такой великой жертве, особенно если учесть, что ни у кого не было полной уверенности в правдивости пророчества.

Однако болезнь продолжала свирепствовать, и в конце концов молодой вождь, жених, тоже слег. Девушка, которая любила его, поняла, что необходимо действовать. Поэтому, дав ему снадобье от жара и нежно поцеловав в лоб, она покинула стойбище.

Она шла целую ночь и весь следующий день и наконец добралась до места, о котором говорилось в легенде, до высокого утеса, глядевшего на Большую реку и земли за ней. Помолившись и вручив себя Великому Духу, она исполнила пророчество, без колебаний прыгнув вниз.

На следующее утро все, кто был болен, проснулись здоровыми и сильными. Были великая радость и ликование, пока юный вождь не заметил, что его невеста пропала. И когда весть о том, что случилось, распространилась среди людей, многие пошли к утесу, где, как они догадывались, можно было найти дочь вождя. И когда они в молчании собрались у изувеченного тела, охваченный горем отец обратился к Великому Духу, моля, чтобы о подвиге его дочери помнили вечно. И в этот миг с того места, откуда она бросилась вниз, начала падать вода, превращаясь возле их ног в водяную пыль.

Младшая дочь Мака любила эту историю, она напоминала ей рассказ об искуплении Иисуса, который Мисси тоже хорошо знала. Сюжет вращался вокруг отца, который обожал свое единственное дитя, и жертвы, предсказанной пророком. Это дитя по доброй воле отдало жизнь, чтобы спасти возлюбленного и свой народ от верной гибели.

Однако в тот раз Мисси не произнесла ни слова, когда рассказ подошел к концу. Она отвернулась и направилась к фургону, словно говоря своим видом: «Ладно, с меня хватит. Поехали дальше».

Они сделали короткий привал в Худ-Ривер, затем выехали на шоссе и добрались до Ла-Гранде вскоре после обеда. Здесь они съехали с шоссе I-84 и выехали на шоссе Валлова-лейк, оно через семьдесят две мили привело в городок Джозеф. Озеро и туристский лагерь, к которым они стремились, находились всего в нескольких милях за Джозефом, и, отыскав свое место, они энергично принялись за дело и быстро устроились, может быть, и не совсем так, как хотелось бы Нэн, но все равно практично.

Трапеза на природе была семейной традицией Филлипсов. Главное блюдо — говядина, маринованная в особом соусе дядюшки Джо. На десерт они ели шоколадные пирожные с орехами, испеченные Нэн накануне вечером, и ванильное мороженое, которое они сумели довезти в сухом льду.

В тот вечер, когда Мак сидел рядом с тремя беззаботно смеющимися детьми, сердце его внезапно преисполнилось радости. Закат в бриллиантовом блеске красок гнал по небосклону легкие облачка, которые терпеливо дожидались, когда им будет позволено стать главными исполнителями в этой необыкновенной пьесе. Я богач, думал Мак про себя, богач во всех возможных смыслах этого слова.

К тому времени, когда с ужином было покончено, опустилась ночь. Олени — обычные дневные гости, а иногда и немалая помеха — отправились туда, откуда пришли. Их сменили ночные возмутители спокойствия: еноты, белки и бурундуки, которые целыми отрядами скитались в поисках любой незакрытой емкости. Филлипсы знали это по опыту прежних походов. Самая первая ночь, которую они провели на этой стоянке, обошлась им в четыре десятка хрустящих рисовых палочек, коробку конфет и весь запас печенья на арахисовом масле.

Пока было еще не очень поздно, все четверо совершили короткую вылазку в сторону от лагерной стоянки и фонарей, в темноту и тишину, где можно было полежать, глядя на Млечный Путь, ошеломляюще величественный и невероятно яркий, когда его сияние не подавляют городские огни. Мак мог смотреть в эту бездну часами. Он нигде не ощущал присутствие Бога так сильно, как здесь, на природе, под звездами. Он почти слышал песнь восхищения Творцом и в глубине своей несговорчивой души вторил ей, как мог.

Потом они вернулись на стоянку, и Мак уложил всех троих по очереди в спальные мешки. Он помолился вместе с Джошем, прежде чем перейти к дожидавшимся его Мисси и Кейт, но когда настала очередь Мисси молиться, она вместо этого захотела поговорить.

— Папа, как получилось, что она должна была умереть? — Мак не сразу сообразил, о ком говорит Мисси, — ну конечно, о мултномахской принцессе.

— Детка, она не должна была. Она сама решила умереть, чтобы спасти свой народ. Они были очень больны, девушка хотела их вылечить.

Последовало молчание, и Мак понял, что во тьме вызревает следующий вопрос.

— А это было на самом деле? — На этот раз спрашивала Кейт, явно заинтересовавшаяся разговором.

— Что было на самом деле?

— Индейская принцесса на самом деле умерла? Это правдивая история?

Мак подумал, прежде чем отвечать.

— Я не знаю, Кейт. Это же легенда, а некоторые легенды — просто притчи, которые учат нас чему-нибудь.

— Значит, этого не было на самом деле? — спросила Мисси.

— Могло быть, милая. Иногда легенды основаны на настоящих историях, на реальных событиях.

Снова молчание, затем:

— Значит, то, как умер Иисус, тоже легенда?

Мак почти слышал, как вертятся колесики в голове у Кейт.

— Нет, детка, это правда, и знаешь что? Мне кажется, что и история про индейскую принцессу тоже правдива.

Мак подождал, пока девочки обдумают его слова. Настала очередь Мисси задавать вопрос.

— А Великий Дух, это просто другое имя Бога, ну, Папы Иисуса, да?

Мак улыбнулся. Очевидно, ночные молитвы Нэн возымели действие.

— Я бы сказал, что да. Это хорошее имя для Бога, потому что он Дух и он велик.

— Тогда почему он такой злой?

Ага, так вот какой вопрос ее терзает.

— Что ты имеешь в виду?

— Ну, Великий Дух заставил принцессу спрыгнуть с утеса, а Иисуса — умереть на кресте. Мне кажется, это очень злые поступки.

Мак был поражен. Он не знал, что на это ответить. Будучи шести с половиной лет от роду, Мисси задавала вопросы, над которыми столетиями бьются мудрецы.

На этот раз молчание длилось долго, и Мак решил, что девчонки заснули. Он уже собирался наклониться, чтобы поцеловать их и пожелать доброй ночи, когда тоненький голосок, в котором явственно слышалась дрожь, произнес:

— Папа?

— Да, детка?

— А мне когда-нибудь придется прыгать с утеса?

Сердце Мака дрогнуло, когда он понял, о чем на самом деле этот разговор. Он обнял девочку и притянул к себе. Тоном более легкомысленным, чем обычно, негромко ответил:

— Нет, детка. Я никогда не попрошу тебя спрыгнуть с утеса, никогда и ни за что.

— А Господь попросит меня спрыгнуть с утеса?

— Нет, Мисси. Он никогда не попросит тебя так поступить.

Она теснее прижалась к нему.

— Ладно! Обними меня крепче. Спокойной ночи, папа. Я тебя люблю.— И она провалилась в глубокий сон, где были только добрые и сладкие сновидения.

Прошло несколько минут, и Мак осторожно уложил ее обратно в спальный мешок.

— Ты в порядке, Кейт? — шепотом спросил он.

— Угу,— так же тихо ответила она.— Папа?

— Да, детка?

— А Мисси задает хорошие вопросы, правда?

— Правда. Она совершенно особенная девочка, вы обе особенные, только ты уже не такая маленькая. А теперь спи, у нас впереди большой день. Сладких снов, дорогая.

— И тебе, папа. Я очень тебя люблю.

— Я тоже тебя люблю, всей душой. Спокойной ночи.

Мак застегнул молнию на пологе, выбрался из-под тента, высморкался и вытер слезы. Он мысленно поблагодарил Господа, а потом отправился варить кофе.

Глава 3

Переломный момент

Душа исцеляется рядом с детьми.

— Федор Достоевский —

Национальному парку озера Валлова в Орегоне и его окрестностям лучше всего подходит название Маленькая Швейцария Америки. Дикие зубчатые горы поднимаются почти на десять тысяч футов, а между ними скрываются бесчисленные долины, полные ручьев, туристских троп и высокогорных лугов, испещренных брызгами диких цветов. Озеро Валлова служит воротами в заповедную зону Игл-Кэп и национальную зону отдыха Адский каньон, который считается самым глубоким ущельем Северной Америки, на некоторых участках оно достигает глубины в две мили и тянется на десять миль.

На семидесяти пяти процентах территории зоны отдыха проезжие дороги отсутствуют, зато имеется более девятисот миль пеших троп. Некогда это была вотчина индейцев племени нез-персе, и следы их присутствия встречаются здесь повсеместно, так же как и следы жизнедеятельности белых колонизаторов, продвигавшихся на Запад. Ближайший городок Джозеф назван в честь могущественного индейского вождя, чье имя на родном языке означало «раскат грома над горами». В этих местах богатейшие флора и фауна, включая лосей, медведей, оленей и горных коз. Присутствие гремучих змей, в особенности вблизи реки Снейк*, достаточная причина, чтобы внимательно смотреть под ноги, если вы отважитесь сойти с тропы.

Само озеро Валлова имеет пять миль в длину и милю в ширину, оно ледникового происхождения и сформировалось, как говорят, примерно девять миллионов лет назад. Оно расположено в миле от городка Джозеф на высоте 4400 футов. Вода, хотя и обжигающе холодная почти круглый год, в конце лета прогревается достаточно, чтобы можно было купаться, во всяком случае, возле берега. Горы Сакагавеа, почти в десять тысяч футов высотой, с покрытыми снегами и лесом вершинами, глядят на этот голубой бриллиант.

Мак с детьми в течение трех дней предавались развлечениям и безделью. Мисси, кажется вполне удовлетворенная ответами отца, больше не вспоминала об индейской принцессе, даже когда туристская тропа завела их на крутые скалы. Потом они ходили на байдарке вдоль озерных берегов, старались, как могли, выиграть приз в мини-гольф и даже выезжали на конную прогулку. После утренней экскурсии на историческое ранчо Уэйд, расположенное на полпути

---

* Snake — змея *(англ.)*.

между Джозефом и Энтерпрайзом, они посвятили день хождению по магазинчикам в самом Джозефе.

Вернувшись к озеру, Джош с Кейт устроили соревнование в беге на трассе для картов. Джош победил, но у Кейт повод для гордости появился в тот же день, несколько позже, когда она вытащила на берег три приличного размера озерные форели. Мисси поймала одну на червя, а вот у Джоша и Мака не было ни единой поклевки, несмотря на их прекрасные блесны.

Примерно в середине своего отдыха они познакомились с двумя другими семействами. Как часто бывает, сначала дружба завязалась между детьми, а затем уже перешла на взрослых. Джош особенно желал познакомиться поближе с Дусеттами, чья старшая дочка, Амбер, оказалась милой леди как раз его возраста. Кейт нещадно дразнила по этому поводу старшего брата, и он отвечал тем, что выскакивал из-под тента, кипя от возмущения. У Амбер была сестра Эмми, всего на год младше Кейт, и они много времени проводили вместе. Викки и Эмиль Дусетты приехали из Колорадо, где Эмиль служил агентом в государственном департаменте по рыболовству и охране дикой природы, а Викки сидела дома, занимаясь хозяйством; часть его составлял их незапланированный сын Джей-Джей, которому был почти год.

Дусетты представили Мака и его детей канадской паре, с которой успели познакомиться раньше. Супруги Джесс и Сара Мэдисон обладали способностью общаться непринужденно и просто, и Мак сразу их полюбил. Оба были независимыми консультантами: Джесс по работе с персоналом, а

Сара занималась системным управлением. Мисси быстро привязалась к Саре, и они обе часто заходили на стоянку Дусеттов, чтобы помочь Викки с Джей-Джеем.

Понедельник начался великолепно, все были в приподнятом настроении, поскольку собирались подняться по канатной дороге Валлова-лейк на вершину горы Ховард, 8150 футов над уровнем моря. В 1970 году, когда дорога только была сооружена, она считалась самым крутым подъемом в Северной Америке, с длиной троса почти в четыре мили. Путешествие до вершины занимает примерно пятьдесят минут, вагончик болтается на высоте от трех до ста двадцати футов.

Джесс с Сарой настояли, что брать с собой пакеты с бутербродами не надо, они угостят всех обедом на вершине, в «Саммит гриле». Они предлагали перекусить, как только доберутся до вершины, а остаток дня посвятить прогулке и посещению пяти смотровых площадок. Вооружившись фотоаппаратами, солнечными очками, бутылками с водой и кремами от солнца, компания утром двинулась в путь. Как и намеревались, все отдали должное гамбургерам, жареной картошке и напиткам в «Гриле». Должно быть, поездка наверх распалила у всех аппетит — даже Мисси осилила целый бургер и съела почти весь гарнир.

После обеда они посетили все ближайшие смотровые площадки, самый долгий переход был от «Вида на долину» до «Змеиной реки» и «Семи смотровых площадок Дьявола» (чуть больше трех четвертей мили). Со смотровой площадки «Вид на долину Валлова» открывались глазам городки Джозеф, Энтерпрайз, Лостин и, конечно, сама долина Валлова.

С площадок «Королевский пурпур» и «Вершина» они глядели на штаты Вашингтон и Айдахо. Некоторым даже показалось, что они видят, как Айдахо длинным узким выступом вклинивается в Монтану.

К концу дня все были усталые и счастливые. Мисси, которую Джесс нес на плечах к последним двум смотровым площадкам, теперь дремала на коленях у Мака, пока они, громыхая и жужжа, съезжали вниз с вершины. Четверо самых юных участников похода вместе с Сарой прилипли носами к окнам, охая и ахая при виде красот, открывавшихся по мере спуска. Дусетты сидели, держась за руки, и о чем-то беседовали, а Джей-Джей спал на руках у отца.

«Сейчас один из тех редких и драгоценных моментов, — подумал Мак, — которые застают тебя врасплох и от которых захватывает дух. Если бы еще и Нэн отдыхала с нами, все было бы просто идеально». Он переложил уснувшую Мисси поудобнее и откинул волосы у нее со лба, чтобы взглянуть в лицо. Пыль и пот утомительного дня нисколько не испортили, а даже странным образом подчеркнули ее невинность и красоту. «И зачем только они вырастают?» — подумал Мак, целуя ее в лоб.

Вечером все три семейства собрались со своими припасами на последний совместный ужин. В качестве закуски были предложены лепешки тако с салатом, нарезанные свежие овощи и соус. Сара умудрилась приготовить десерт со взбитыми сливками, муссом, шоколадными пирожными и прочими вкусностями, после чего все почувствовали себя совершенными сибаритами.

Когда остатки ужина были убраны по холодильникам, а тарелки перемыты и расставлены по местам, взрослые уселись пить кофе вокруг пылающего костра и Эмиль поведал о своих приключениях, о погонях за контрабандистами, которые уничтожают вымирающие виды животных, и о том, как он ловит браконьеров и всех, кто охотится без разрешения. Он был опытным рассказчиком и имел в запасе немало занятных историй. Мак в очередной раз понял: в мире есть много такого, о чем он и не догадывается.

Поскольку вечер шел к завершению, Эмиль и Викки первыми отправились спать, захватив совсем уже сонного младенца. Джесс и Сара вызвались подежурить у костра, пока девочки Дусеттов не наиграются и не вернутся на свою стоянку. Трое детей Филлипсов и двое Дусеттов сейчас же исчезли, уединившись под тентом прицепа, чтобы делиться разными историями и секретами.

Как часто случается у лагерного костра, разговор перешел с предметов юмористических на более интимные. Сара, кажется, хотела узнать как можно больше об остальных членах семьи Мака, в особенности о Нэн.

— Так какая же она, Макензи?

Мак не упускал возможности похвастаться своей женой.

— У нее много достоинств помимо того, что она прекрасна, а я говорю это не просто так, она прекрасна и внешне и внутренне.— Он робко поднял глаза и увидел, что Сара и Джесс ему улыбаются. Мак действительно скучал по супруге и был рад тому, что вечерние тени скрывают его смущение.— Ее полное имя Нэннетт, но почти все зовут ее просто

Нэн. У нее солидная репутация во врачебной среде, во всяком случае, на Северо-Западе. Она медсестра, работает с онкологическими пациентами — то есть с раковыми больными. Это тяжелая работа, но Нэн ее любит. Между прочим, она еще пишет статьи и иногда выступает на конференциях.

— Правда? — заинтересовалась Сара.— И о чем же были ее выступления?

— Она помогает людям думать о своих взаимоотношениях с Богом перед лицом надвигающейся смерти,— ответил Мак.

— Расскажи об этом подробнее,— попросил Джесс, который ворошил угли палкой, заставляя их вспыхивать с новой силой.

Мак колебался. Хотя он чувствовал себя непринужденно в обществе этих людей, они все-таки не были его близкими друзьями, а разговор становился серьезным. Он попытался сформулировать краткий ответ.

— Нэн гораздо лучше разбирается в этом, чем я. Мне кажется, она воспринимает Бога совершенно не так, как большинство людей. Она даже называет его Папа, поскольку у нее с ним очень близкие отношения, если вы понимаете, о чем я.

— Конечно понимаем! — воскликнула Сара, а Джесс кивнул.— Это у вас семейная традиция называть Бога Папой?

— Нет,— засмеялся Мак.— Дети, в общем, переняли привычку, но мне это кажется слишком фамильярным. Однако у Нэн замечательный отец, поэтому, наверное, ей это дается легко.

Фраза вырвалась случайно, и Мак внутренне поежился, надеясь, что никто этого не заметил, однако Джесс смотрел прямо на него.

— Твой отец был не слишком хорош? — спросил он негромко.

— Пожалуй.— Мак помолчал.— Наверное, можно сказать, что он был не слишком хорош. Он умер, когда я был еще ребенком, от естественных причин.— Мак засмеялся, но смех вышел невеселым. Он взглянул на собеседников.— Он упился до смерти.

— Как жаль,— ответила Сара за них обоих, и Мак почувствовал, что ей действительно жаль.

— Что ж,— он снова заставил себя засмеяться,— жизнь иногда тяжела, но у меня есть за что быть благодарным.

Повисло неловкое молчание, пока Мак размышлял, каким образом этим двоим так легко удалось проникнуть за линию его обороны. Через секунду он был спасен детьми, которые выскочили из-под тента и бросились к костру. К восторгу Кейт, они с Эмми заметили Джоша и Амбер в тот момент, когда те держались в темноте за руки, и теперь Кейт желала сообщить об этом всему миру. Джош, кстати, был уже настолько влюблен, что вовсе не чувствовал себя оскорбленным и с готовностью признавал то, в чем обвиняла его сестра. Он не смог бы прогнать с лица глуповатую улыбку, даже если бы захотел.

Мэдисоны обняли на прощанье Мака и его детей, желая им спокойной ночи, причем Сара обняла его особенно нежно. Затем, держа за руки Амбер и Эмми, они ушли в темноту, направляясь к стоянке Дусеттов. Мак смотрел им вслед, пока не стихли их приглушенные голоса и не исчезли лучи света от фонариков. Он улыбнулся самому себе и отправился загонять свое стадо в спальные мешки.

Все помолились, за чем последовали поцелуи с пожеланиями спокойной ночи и хихиканье Кейт, которая сказала что-то вполголоса старшему брату, а тот в ответ разразился сиплым шепотом:

— Прекрати, Кейт... Хватит! Я серьезно, ты меня достала! — И наконец наступила тишина.

При свете фонарика Мак навел на стоянке мало-мальский порядок и решил отложить остальное до утра. Они все равно собирались выезжать не раньше обеда. Он сварил себе кофе и уселся с кружкой перед костром, который уже прогорел до жарких алых углей. Было так легко затеряться мыслями среди этих переливающихся огоньков. Он был один, но не одинок. Так, кажется, поется в песне Брюса Кокберна «Слухи о славе»? Он не помнил точно, но если не забудет, то послушает, когда вернется домой.

И пока Мак сидел, зачарованный костром, окутанный его теплом, он молился, и в основном это были благодарственные молитвы. Ведь он владеет столь многим. Довольный, отдохнувший и умиротворенный, он и не подозревал, что через двадцать четыре часа его молитвы станут совсем иными.

Утро, хотя и выдалось солнечным и теплым, началось не слишком удачно. Мак поднялся рано, решив удивить детей чудесным завтраком, однако обжег два пальца, пытаясь снять со сковородки прилипшие оладьи. Дернувшись от пронзительной боли, он опрокинул плитку и миску с жидким тестом. Дети, разбуженные грохотом и приглушенными проклятиями, высунули головы из-под полога и захихикали, как только поняли, в чем дело. Однако стоило Маку крикнуть: «Нет тут ничего смешного!» — как они сейчас же скрылись в палатке, но продолжали посмеиваться, наблюдая за ним сквозь затянутые москитной сеткой окошки.

Таким образом, завтрак, задуманный как пиршество, оказался состоящим из холодных хлопьев, едва спрыснутых молоком, поскольку последнее молоко пошло на тесто для оладий. Следующий час Мак провел, пытаясь организовать сборы, держа при этом два пальца в стакане с холодной водой, куда постоянно приходилось подкладывать свежие кусочки льда, которые Джош откалывал черенком ложки. Весть об этом, должно быть, распространилась по лагерю, потому что прибежала Сара Мэдисон с аптечкой, — спустя считаные минуты пальцы Мака были измазаны какой-то беловатой жидкостью, и боль заметно утихла.

В этот момент Кейт с Джошем, выполнив порученную им работу, спросили разрешения покататься напоследок по озеру на каноэ Дусеттов, пообещав надеть спасательные жилеты. После изначального решительного «нет» и необходимого количества уговоров со стороны детей, в особенности Кейт, Мак все-таки разрешил, еще раз напомнив им, как следует вести себя в каноэ и какие правила соблюдать. Он не особенно за них беспокоился. Ведь стоянка находилась всего в броске камня от озера, и они обещали держаться у берега. Мак сможет приглядывать за ними и одновременно сворачивать лагерь.

Мисси сидела за столом, раскрашивая книжку, купленную на водопаде Мултномах. «Она просто прелесть», — думал Мак, поглядывая на дочку, пока ликвидировал им же самим устроенный беспорядок. Мисси была в коротеньком красном сарафанчике с вышитыми цветами, который они купили в Джозефе, когда в первый день ходили по магазинам.

Пятнадцать минут спустя Мак поднял голову, услышав со стороны озера знакомый голос, зовущий: «Папа!» Это была Кейт, они с братом гребли, рассекая воду, как настоящие профи. Оба послушно надели спасательные жилеты, и Мак помахал им.

Удивительно, как, казалось бы, совершенно незначительный поступок или событие могут полностью перевернуть всю жизнь. Кейт, подняв весло, чтобы махнуть в ответ, потеряла равновесие и качнула каноэ. На ее лице застыло выражение ужаса, когда лодка медленно и беззвучно перевернулась. Джош накренился в противоположную сторону, стараясь выправить каноэ, но было слишком поздно, и он исчез из виду при всплеске волны. Мак подбежал к берегу, не собираясь лезть в воду, однако желая оказаться рядом, когда они выплывут. Кейт вынырнула первой, отплевываясь и крича, но Джоша не было видно. И вдруг, увидев вздыбившуюся воду и мельтешащие ноги, Мак понял, что случилось нечто ужасное.

К его изумлению, все навыки, которые он приобрел в подростковом возрасте, работая на спасательной станции, вернулись к нему. В считаные секунды он оказался в воде, скинув на бегу рубашку и ботинки. Он даже не обратил внимания ни на ледяной холод, когда преодолевал те пятьдесят футов, что отделяли его от перевернувшегося каноэ, ни на судорожные рыдания Кейт. Ведь она в безопасности. Главная цель сейчас — Джош.

Набрав в грудь воздуха, Мак нырнул. Вода, хотя и взбаламученная, оставалась кристально прозрачной, видимость была фута на три. Он сразу увидел Джоша и так же быстро понял, почему тот не всплывает. Один из ремней спасательного жилета переплелся с оснасткой каноэ. Как Мак ни старался, он не мог выдернуть ремень, поэтому пытался подать знак Джошу, чтобы тот поднырнул под каноэ, где еще оставался воздух. Но несчастный парнишка впал в панику, тщетно пытаясь вырваться из ремней, которые держали его под водой.

Мак вынырнул на поверхность, крикнул Кейт, чтобы она плыла к берегу, набрал в легкие как можно больше воздуха и нырнул снова. Ныряя в третий раз и понимая, что время уже на исходе, он догадался, что нужно либо освободить Джоша от жилета, либо перевернуть каноэ. Поскольку к Джошу было невозможно приблизиться, он выбрал последнее. Помогали ли ему Бог и ангелы либо Бог и адреналин, но со второй попытки удалось перевернуть каноэ и освободить Джоша.

Жилет, к счастью, прекрасно держал мальчика, который уже обмяк, потеряв сознание; кровь сочилась из царапины на лбу, где его ударило бортом каноэ. Мак тотчас принялся делать сыну искусственное дыхание рот в рот, пока остальные, сбежавшиеся на шум, вытягивали его вместе с каноэ на мелководье.

Как только ноги Джоша коснулись твердой земли, он закашлял, выталкивая из себя воду и съеденный завтрак. Восторженный вопль вырвался у всех собравшихся. Мак, захлестнутый приливом адреналина, заплакал от счастья, и Кейт тоже рыдала, обхватив его за шею, и все вокруг смеялись, плакали и обнимались.

Среди тех, кого привлекли на берег шум и смятение, были Джесс Мэдисон и Эмиль Дусетт. В общей суматохе и радостных криках Мак расслышал голос Эмиля, который, словно молитвенный рефрен, повторял шепотом снова и снова:

— Мне так жаль... мне так жаль... мне так жаль.

Это было его каноэ. Это могли быть его дети. Мак подошел к нему, обнял и прокричал в ухо:

— Прекрати! Ты ни в чем не виноват. Все хорошо!

Эмиль зарыдал, чувства выплеснулись из него, прорвав плотину скопившегося страха и вины.

Самое худшее было позади. Во всяком случае, так думал Мак.

Глава 4

Великая Скорбь

Печаль – это стена между двумя садами.

— Халиль Джебран —

Мак стоял на берегу, все еще не в силах восстановить дыхание. Прошло несколько минут, прежде чем он вспомнил о Мисси. Последнее, чем она занималась у него на глазах, было раскрашивание за столом книжки. Он вышел на берег, откуда было видно стоянку, но там ее не оказалось. Он поспешил к палатке, продолжая выкрикивать имя дочери. Мисси не было и здесь. Хотя сердце Мака забилось быстрее, он рассудил, что кто-нибудь наверняка заметил ее, несмотря на всеобщую суматоху, может быть, Сара Мэдисон, или Викки Дусетт, или кто-нибудь из детей.

Не желая показаться чрезмерно встревоженным, он разыскал своих новых друзей, сообщил им, что не может найти Мисси, и попросил посмотреть у них в палатках. Все спешно разошлись по своим стоянкам. Джесс вернулся первым и объявил, что Сара сегодня утром еще не видела Мисси.

Затем они с Маком направились к Дусеттам, но Эмиль уже бежал навстречу, на его лице было написано беспокойство.

— Никто сегодня не видел Мисси, и мы не знаем, где Амбер. Может, они где-то вместе? — В голосе Эмиля слышалось нешуточное волнение.

— Иначе и быть не может,— сказал Мак, стараясь уверить в этом и себя, и Эмиля.— Где, по-твоему, они могут быть?

— Может, поискать в душевых? — предложил Джесс.

— Отличная мысль,— сказал Мак.— Я проверю рядом с нашей стоянкой душевую, которой пользовались мои дети. Может, вы с Эмилем посмотрите в душевой между вашими стоянками?

Они кивнули, и Мак направился к ближайшей душевой, только сейчас заметив, что идет босиком и без рубашки. «Ну и видок у меня, наверное»,— подумал он и засмеялся бы, если бы не был так озабочен исчезновением Мисси.

Подойдя к душевым, он спросил у выходившей из женского душа девочки-подростка, не видела ли она там маленькую девочку в красном сарафане, может быть, даже двух девочек. Она сказала, что не обратила внимания, но пойдет и посмотрит. Вскоре она вернулась, отрицательно качая головой.

— Все равно спасибо,— произнес Мак, заходя за угол здания, в котором размещались душевые. Он снова принялся звать Мисси. Было слышно, как течет вода, но никто не отзывался. Подумав, что Мисси может находиться непосредственно в душе, он постучал кулаком по стене каждой кабинки, но преуспел только в одном: до смерти напугал некую пожилую даму, поскольку дверца ее кабинки распахнулась. Дама закричала, и Мак, многословно извиняясь, быстро захлопнул дверцу и поспешил к следующей кабинке.

Все остальные кабинки были пусты. Он заглянул в мужские душевые и уборные, стараясь не думать, почему, собственно, взял на себя труд это сделать. Мисси не было нигде, и он трусцой побежал к стоянке Эмиля, не в силах молить Господа ни о чем, кроме: «Помоги, помоги мне... Господи, пожалуйста, помоги ее найти».

Увидев его, Викки бросилась навстречу. Она старалась не плакать, но не смогла удержаться, когда они обнялись. Маку вдруг отчаянно захотелось, чтобы Нэн оказалась здесь. Она знала бы, что делать, во всяком случае, что стоило бы сделать. Он ощущал себя таким потерянным.

— Сара отвела Кейт с Джошем на вашу стоянку, так что за них не волнуйся,— сказала Викки.

«О господи,— подумал Мак, успевший совершенно позабыть о двоих старших.— Что же я за отец?» Хотя ему стало легче от присутствия Сары, он теперь еще сильнее хотел, чтобы Нэн была здесь.

В этот миг на стоянку прибежали Эмиль с Джессом. Эмиль казался успокоившимся, зато Джесс был похож на сжатую пружину.

— Мы ее нашли! — воскликнул Эмиль, лицо его просветлело, затем снова омрачилось, когда он понял, как это прозвучало.— Я имею в виду, нашли Амбер. Она просто ходила в другую душевую, где еще есть горячая вода. Утверждает, что сказала маме, но Викки, наверное, ее не услышала...— Голос его сорвался.

— Но Мисси мы не нашли,— быстро прибавил Джесс.— Амбер тоже еще не видела ее сегодня.

Эмиль решил взять руководство поисками на себя:

— Мак, необходимо сейчас же сообщить администрации лагеря, организовать прочесывание местности. Может быть, она испугалась суматохи, кинулась бежать и заблудилась в лесу. Может быть, пыталась вернуться в лагерь и сбилась с тропы. У тебя есть ее фотография? Наверное, у них в конторе найдется ксерокс, тогда мы сделаем несколько копий и сэкономим время.

— Да, у меня есть моментальный снимок в бумажнике.

Мак сунул руку в задний карман и на секунду поддался панике, потому что в кармане был пусто. Неужели его бумажник покоится на дне озера Валлова? Затем он вспомнил, что бумажник со вчерашнего дня лежит в фургоне, после катания на фуникулере.

Все трое вернулись на стоянку Мака. Джесс побежал рассказать Саре, что Амбер нашлась, а вот где Мисси, до сих пор неизвестно. В лагере Мак обнял и, как сумел, подбодрил Кейт с Джошем, стараясь казаться спокойным. Стянув с себя мокрую одежду, он надел сухую футболку и джинсы, нашел запасные носки и кроссовки. Сара пообещала присмотреть вместе с Викки за старшими детьми и шепнула, что будет молиться за него и Мисси. Мак обнял ее и поблагодарил. Поцеловав детей, он присоединился к двум другим мужчинам, и они бегом кинулись к конторе администрации.

Слух о происшествии на воде уже дошел до маленькой штаб-квартиры лагеря, и у управляющего было приподнятое настроение — он радовался, что обошлось благополучно. Но все изменилось, когда он узнал об исчезновении девочки. По счастью, в конторе был ксерокс, и Мак отпечатал полдюжины увеличенных изображений Мисси, раздав всем, кто был рядом.

Молодой помощник управляющего, Джереми Беллами, вызвался помогать в поисках, поэтому они поделили лагерь на четыре зоны, и каждый отправился прочесывать свою, вооруженный картой, фотографией Мисси и рацией. Еще один помощник с рацией пошел на стоянку Мака, на случай, если Мисси вернется туда.

Работа велась кропотливо, но слишком уж медленно, по мнению Мака. Впрочем, он понимал, что это самый разумный способ отыскать Мисси, если... если она все еще в лагере. Пока Мак бродил между палатками и трейлерами, он молился и давал обеты. В глубине души он понимал, что обещать что-либо Богу довольно пошло и глупо, но ничего не мог с собой сделать. Он отчаянно хотел вернуть Мисси, а уж Господь наверняка знал, где она.

Многих отдыхающих либо уже не было на стоянках, либо они завершали приготовления к отъезду домой. Никто из опрошенных не видел Мисси или кого-нибудь похожего на нее. Периодически поисковые отряды связывались со штабом, чтобы узнать об успехах, если таковые случились. Но ничего не происходило почти до двух часов пополудни.

Мак завершал обход своего участка, когда заговорила рация. Джереми, осматривавший местность рядом с воротами лагеря, вроде бы кое-что выяснил. Эмиль велел всем делать отметки на карте, чтобы знать, где они уже побывали, и назвал номер стоянки, с которой вышел на связь Джереми. Мак добрался туда последним, он приблизился к группе беседующих, это были Эмиль, Джереми и еще один молодой человек, которого Мак не знал.

Эмиль представил Маку Виргила, городского парнишку из Калифорнии, который провел в лагере все лето. Виргил с друзьями поздно разошлись вчера вечером, и он единственный сегодня видел старый пикап цвета хаки, который выехал с территории и двинулся по шоссе в направлении Джозефа.

— А в котором часу это было? — спросил Мак.

— Как я ему уже говорил,— указал Виргил большим пальцем на Джереми,— около полудня. Точнее сказать не могу. У меня было легкое похмелье, и если честно, живя здесь, мы почти не обращаем внимания на время.

Сунув под нос молодому человеку фотографию Мисси, Мак спросил резко:

— А вы точно видели ее?

— Когда этот парень показал мне фото в первый раз, я ее не узнал,— ответил Виргил.— Но потом он сказал, что она была в ярком красном сарафане, и я вспомнил: девчушка в пикапе как раз была в красном и она то ли смеялась, то ли плакала, точно я не разобрал. Мужик в пикапе шлепнул ее или толкнул вниз, хотя, может быть, они так играли.

Эта новость ошеломила Мака, однако, увы, она была единственной стоящей информацией из всего услышанного. Этим и объяснялось, почему они не нашли Мисси. Но душа его противилась тому, чтобы случившееся оказалось правдой. Он повернулся и побежал к конторе, но его остановил голос Эмиля:

— Мак, стой! Мы уже сообщили по рации о случившемся в администрацию и связались с шерифом в Джозефе. Они высылают сюда людей и объявили пикап в розыск.

Он не успел договорить — словно по команде, на территорию лагеря въехали две патрульные машины. Первая направилась к конторе, а другая остановилась рядом с ними. Мак замахал полицейскому и поспешил к автомобилю. Молодой человек, на вид около тридцати, представился как инспектор Далтон и тотчас приступил к опросу.

В следующие часы была развита бурная деятельность. Ориентировку всем постам разослали на запад до Портленда, на восток до Бойсе, штат Айдахо, на север до Спокана, штат Вашингтон. Полицейские в Джозефе выставили посты на шоссе Имнаха, ведущем в глубь национального парка Адский каньон. Если похититель повез Мисси по шоссе Имнаха — а это наиболее вероятно,— то полицейские смогут постоянно получать информацию от едущих в обратном направлении. У них не хватало людей, поэтому всем лесничим этого района тоже было приказано смотреть в оба.

Стоянку Филлипсов огородили лентой, все соседи были допрошены. Виргил вспомнил все, что смог, и о пикапе, и о его водителе и пассажирке; показания были разосланы во все отделы.

Агенты ФБР в Портленде, Сиэтле и Денвере получили ориентировки. Позвонили Нэн, и она безотлагательно выехала — лучшая подруга Марианн вызвалась ее отвезти. Даже служебные собаки были задействованы, однако след

Мисси обрывался на ближайшей стоянке, что лишь подтверждало правдивость рассказа Виргила.

После того как криминалисты прочесали лагерь, инспектор Далтон попросил Мака вернуться на стоянку и внимательно посмотреть, все ли там на месте. Истерзанный переживаниями Мак отчаянно хотел помочь, поэтому постарался вспомнить, как все происходило утром. Осторожно, словно боясь кого-то потревожить, он восстанавливал в памяти свои действия. Чего бы он только не отдал, чтобы получить возможность начать этот день сначала. Даже если снова придется обжечь пальцы и перевернуть тесто для оладий, лишь бы вернуть все назад.

Но как ни напрягал он память, ничего нового вспомнить не смог. Он подошел к столу, за которым рисовала Мисси. Книжка-раскраска осталась раскрытой на незаконченной картинке с дочерью вождя мултномахов. Карандаши тоже на месте, хотя любимого цвета Мисси, красного, не хватает. Он принялся осматривать землю, чтобы понять, куда делся красный.

— Если вы ищете красный карандаш, мы нашли его вон там, под деревом, — сказал Далтон, указывая в сторону стоянки. — Она, должно быть, обронила его, когда отбивалась от... — Он не договорил.

— Откуда вы знаете, что она отбивалась? — спросил Мак.

Полицейский поколебался, но все-таки ответил.

— Мы нашли в кустах ее туфельку. Вас тогда не было, поэтому мы попросили вашего сына опознать туфлю.

Образ дочери, отбивающейся от какого-то чудовищного извращенца, обрушился на Мака, как удар молота. Его замутило; боясь, что вырвет, он навалился на стол. И лишь сейчас заметил булавку с божьей коровкой, воткнутую в книжку с картинками. Он пришел в себя так резко, словно ему сунули под нос нюхательную соль.

— А это еще что? — спросил он у Далтона, указывая на булавку.

— Вы о чем?

— Булавка с божьей коровкой! Кто ее сюда воткнул?

— Мы думали, что она принадлежит Мисси. Хотите сказать, утром этой вещицы здесь не было?

— Могу поклясться! — с жаром заверил Мак.— У Мисси нет ничего подобного. И я совершенно уверен, что булавки здесь утром не было!

Инспектор Далтон схватил рацию, и спустя несколько минут криминалисты приобщили булавку к уликам.

Далтон отвел Мака в сторону и объяснил:

— Если вы не ошибаетесь, то нам остается признать, что похититель Мисси оставил здесь эту булавку намеренно.— Он помолчал, прежде чем продолжить: — Мистер Филлипс, это может оказаться как хорошей новостью, так и дурной.

— Не понимаю,— сказал Мак.

Полицейский снова заколебался, решая, стоит ли делиться с Маком соображениями. Он подыскивал верные слова.

— Хорошо, что это все-таки улика. Пока что единственное вещественное доказательство, указывающее на наличие похитителя.

— А плохая новость? — Мак задержал дыхание.

— А плохая... Обычно типы, которые оставляют что-то подобное на месте преступления, поступают так намеренно, а это означает, что они уже совершали похожие преступления раньше.

— Что вы имеете в виду?! — рявкнул Мак.— Что этот тип — серийный убийца? Что это знак, который он оставляет нарочно, чтобы обозначить себя, вроде как пометить территорию?

Мак распалялся все больше, и по выражению лица Далтона было видно, что он сожалеет о своей откровенности. Но прежде чем Мак успел взорваться, у Далтона на поясе запищала рация, связывая его с отделением ФБР в Портленде. Мак не стал отходить, он услышал, как собеседница Далтона попросила подробно описать булавку. Мак прошел вслед за полицейским в домик администрации, где криминалисты оборудовали для себя рабочий кабинет. Булавка была помещена в пластиковый пакет на молнии, и, стоя позади группы экспертов, Мак слушал, как Далтон описывает находку.

— Это булавка с божьей коровкой, которая была воткнута в книжку-раскраску. Такие булавки, насколько я знаю, женщины обычно носят на лацкане пиджака.

— Пожалуйста, опишите цвет и количество точек на божьей коровке,— потребовал голос из рации.

— Сейчас уточню,— сказал Далтон, впиваясь взглядом в пакет.— Головка черная, как... ну... головка божьей коровки. А тело красное, с черными краями и разделительной линией. На левом крыле две черные точки. Это имеет значение?

— Еще какое. Продолжайте,— нетерпеливо проговорил голос.

— На правом крыле божьей коровки три точки, значит, всего их пять.

Последовала пауза.

— Вы уверены, что точек именно пять?

— Да, мэм, точек пять.— Далтон поднял голову и увидел, что Мак подступает ближе, чтобы рассмотреть булавку, встретился с ним взглядом и пожал плечами, как будто говоря: «Ну кому какое дело, сколько тут точек?»

— Что ж, хорошо, инспектор Дабни...

— Далтон, мэм, Томми Далтон.— Полицейский снова посмотрел на Мака и закатил глаза.

— Прошу прощения, инспектор Далтон. Не могли бы вы перевернуть булавку и сообщить мне, нет ли чего-нибудь на обратной стороне?

Далтон перевернул пакет и внимательно посмотрел.

— На обратной стороне какой-то отпечаток, агент... э... я не расслышал вашей фамилии.

— Виковски. Пишется, как слышится. Там отпечатаны буквы или цифры?

— Сейчас посмотрю. Да, есть. Похоже на номер модели. Ч... К... один, четыре, шесть, да, вроде бы верно, Чарли, Клара, один, четыре, шесть. Сложно разглядеть через пакет.

На другом конце помолчали. Мак прошептал Далтону:

— Спросите, что это все означает.

Далтон поколебался, но затем решился задать вопрос. Повисло долгое молчание.

— Виковски? Вы еще здесь?

— Да, здесь.— Голос вдруг зазвучал устало и пусто.— Слушайте, Далтон, найдется у вас там местечко, чтобы нас никто не слышал?

Мак взволнованно закивал, и Далтон понял его.

— Секунду.— Он положил пакет с булавкой и вышел из огороженного круга, позволив Маку последовать за ним.— Да, теперь можно разговаривать. Скажите же наконец, что это за булавка.

— Мы ловим этого типа почти четыре года, преследовали его на территории девяти штатов — он рвется дальше на запад. Он получил прозвище Убийца Божьих Коровок, хотя мы ни разу не допустили, чтобы в прессу или куда еще просочились сведения о нем, так что и вас прошу хранить тайну. Мы считаем, что он повинен в похищении и убийстве четырех детей, девочек, все моложе десяти лет. Каждый раз он прибавляет на божьей коровке по точке, значит, сейчас пятый случай. Каждый раз он оставляет булавку на месте похищения, всегда с одним и тем же модельным номером, как будто закупил целую партию, но нам так и не удалось установить, где он их взял. Мы не нашли ни одной из четырех похищенных, и даже эксперты-криминалисты ничего не обнаружили, но есть основания полагать, что ни одна девочка не осталась в живых. Каждый раз преступление совершалось рядом с лагерными стоянками, либо в национальном парке, либо в резервации. Преступник, судя по всему, опытный турист и скалолаз. Ни разу не оставлял нам ровным счетом ничего, за исключением булавки.

— А как же машина? У нас имеется описание зеленого пикапа, на котором он уехал.

— О, его вы наверняка найдете. Если это тот парень, то машина была угнана пару дней назад, перекрашена, набита туристским снаряжением и начисто лишена отпечатков.

Слушая разговор Далтона с агентом Виковски, Мак чувствовал, как ускользает последняя надежда. Он тяжело сел на землю и закрыл лицо руками. Был ли в этот миг на свете человек более усталый, чем он? В первый раз со времени исчезновения Мисси он позволил себе задуматься о жутких вероятностях. Образы, добрые и злые, сливались перед его мысленным взором, выступая в беззвучном параде. Он попытался отбросить их, но не смог. Мелькали ужасными вспышками сцены пыток, чудовища и демоны из темной бездны с пальцами из колючей проволоки и бритвенных лезвий, Мисси, зовущая своего папу и не получающая ответа. И между этими кошмарами вспыхивали его собственные воспоминания: только что начавшая ходить Мисси со своей чашкой Мисси-сипи, как они ее называли; а вот она в два года, совершенно захмелевшая от съеденного в избытке шоколадного торта; и еще один, совсем недавно запечатлевшийся образ, когда она заснула у Мака на руках.

Что он скажет на ее похоронах? Что он сможет объяснить Нэн? Как такое могло случиться? Господи, как такое могло случиться?!

Спустя несколько часов Мак с двумя детьми поехал в Джозеф, который сделался главной отправной точкой все расширяющихся поисков. Владельцы гостиницы бесплатно предоставили ему вторую комнату, и когда он внес свои немногие пожитки, на него обрушилась усталость. Он с благодарностью принял предложение инспектора Далтона сводить детей в гостиничный ресторан, а сам сел на край кровати, чувствуя себя зажатым в тиски все разрастающегося безжалостного отчаяния. Он медленно раскачивался взад-вперед, душераздирающие рыдания вырывались из самого сердца его существа. В таком виде его и застала Нэн. Двое сломленных горем людей, они обнимали друг друга и плакали, Мак изливал свое горе, а Нэн пыталась не дать ему сломаться.

В ту ночь Мак спал урывками, потому что видения продолжали захлестывать его, словно волны, неутомимо накатывающие на каменистый берег. В итоге он сдался, как раз перед тем, как солнце намекнуло на свой скорый восход. В один день Мак растратил предназначенный на год запас нервной энергии и теперь ощущал себя опустошенным, унесенным в мир, внезапно лишившийся всякого смысла, в мир, которому, казалось, суждено навеки остаться серым.

После долгих споров решили, что Нэн с Джошем и Кейт лучше вернуться домой. Мак же останется помогать полицейским и будет находиться ближе к месту событий, так, на всякий случай. Да он и не мог уехать — быть может, Мисси все еще где-то рядом и нуждается в его помощи. Весть распространилась быстро, приехали друзья, чтобы помочь ему собрать пожитки и отогнать прицеп в Портленд. Позвонил его начальник, предлагал любую возможную поддержку, сказал, что Мак может оставаться на месте столько, сколько потребуется. Все знакомые Мака молились.

Репортеры, со своими фотографами на буксире, начали появляться с утра. Мак не хотел их видеть, но некоторое время спустя все же ответил на вопросы, решив: если новость разнесется далеко, это может помочь поискам Мисси.

Добросердечный инспектор Далтон продолжал делиться с ним информацией о ходе расследования. Джесс с Сарой, желая хоть чем-то помочь, постоянно были рядом с Маком, они взяли на себя основной груз общения с прессой от его имени и, кажется, были сразу повсюду, умело вплетая нити спокойствия в ткань его взбудораженных чувств.

Приехали из Денвера родители Эмиля Дусетта, чтобы отвезти домой Викки с детьми. Эмиль, с их благословения, остался, чтобы держать связь с администрацией парка и помогать Маку получать информацию и из этого источника. Нэн, быстро сдружившаяся с Сарой и Викки, возилась с Джей-Джеем, в то же время собирая собственных детей в обратный путь. А когда она не выдерживала, что случалось часто, Викки и Сара всегда были рядом, чтобы плакать и молиться вместе с ней.

Когда стало очевидным, что нужды в их помощи больше нет, Мэдисоны свернули свою стоянку, за чем последовало полное слез прощание. Обнимая Мака, Джесс шепнул, что они еще непременно встретятся, а пока он будет молиться за всех них. Сара, по щекам которой катились слезы, поцеловала Мака в лоб, потом обняла снова разрыдавшуюся Нэн. Миссис Мэдисон запела что-то, слов Мак не разобрал, но его жена неожиданно успокоилась.

Когда Дусетты уже были готовы к отъезду, Мак улучил минуту, чтобы поблагодарить Амбер и Эмми за утешение и помощь, которую он сам не мог дать Нэн. Джош плакал, прощаясь, он больше не был храбрецом, Кейт же превратилась в кремень, сосредоточившись только на том, чтобы семьи обменялись друг с другом почтовыми и электронными адресами. Викки была совершенно потрясена случившимся, она никак не могла оторваться от Нэн, потому что собственное горе угрожало захлестнуть ее. Нэн поддерживала ее, гладя по голове и шепча в ухо молитвы, пока Викки не успокоилась и не смогла сама дойти до машины.

К полудню все семьи тронулись в путь. Марианн повезла Нэн с детьми к себе домой, к своим родственникам, готовым заботиться и утешать. Мак и Эмиль вместе с инспектором Далтоном, уже ставшим для них просто Томми, поехали в Джозеф на патрульной машине. Там они накупили сэндвичей, к которым едва притронулись, после чего отправились в полицейский участок. У Томми Далтона было две дочери, старшей всего пять лет, так что он близко к сердцу принял горе семьи Филлипсов.

Наступила самая трудная стадия расследования — требовалось ждать. Маку казалось, будто он еле-еле движется в эпицентре урагана деятельности. Со всех сторон поступали донесения. Даже Эмиль был занят, ведя по электронной почте переписку с просто знакомыми и с профессионалами.

Днем прибыло подкрепление из ФБР, из местных отделений трех больших городов. С самого начала стало ясно, что командует всеми здесь агент Виковски, маленькая стройная женщина, которая была сплошная энергия и движение и к которой Мак сейчас же проникся симпатией. Она тоже не скрывала своего расположения к нему, и с этого мига уже никто не оспаривал его права присутствовать даже на закрытых совещаниях.

Устроившись в гостинице, фэбээровцы попросили Мака явиться для официального допроса, обычной, как они заверили, процедуры в подобных обстоятельствах. Агент Виковски поднялась из-за письменного стола, пожала его кисть обеими руками и невесело улыбнулась.

— Мистер Филлипс, прошу прощения, что не могла уделить вам достаточно времени. Мы были заняты по горло, налаживая связь с полицией и другими агентами, задействованными в поисках. Мне очень жаль, что мы с вами познакомились при таких обстоятельствах.

Мак поверил ей.

— Мак,— сказал он.

— Прошу прощения?

— Мак. Прошу вас, зовите меня Маком.

— Что ж, Мак, в таком случае я Сэм. Сокращение от Саманты. Вообще-то я росла сущим сорванцом и колотила всякого сверстника, кто осмеливался в лицо звать меня Самантой.

Мак невольно улыбнулся и несколько расслабился, глядя, как быстро она перебирает листы в папках, набитых документами.

— Мак, вы готовы ответить на несколько вопросов? — спросила она.

— Сделаю все, что в моих силах,— отозвался он, благодарный за возможность хоть как-нибудь поучаствовать в поисках.

— Прекрасно! Я не заставлю вас повторять все подробности. У меня есть сведения, которые вы сообщили другим, но необходимо уточнить несколько важных моментов.— Она подняла голову, встретившись с ним взглядом.

— Все, чем только могу помочь,— заверил Мак.— Я ощущаю себя таким бесполезным.

— Я понимаю, что вы сейчас чувствуете, однако ваше присутствие чрезвычайно важно. И поверьте, здесь нет ни одного человека, который не переживал бы из-за вашей Мисси. Мы сделаем все от нас зависящее, чтобы вернуть ее домой.

Спасибо,— ответил Мак, после чего уставился в пол.

Казалось, все его чувства лежат так близко к поверхности, что даже малейшее проявление сочувствия протыкает дыру в его сдержанности.

— Итак, к делу... Не заметили ли вы чего-нибудь странного, происходившего вокруг вас в последние дни?

Мак был удивлен.

— Вы хотите сказать, что преступник нас выслеживал?

Нет, он как будто выбирает жертвы без всякой системы, хотя все они примерно того же возраста, что и ваша дочь, и у всех такой же цвет волос. Мы полагаем, что он высматривает их примерно день-два, выжидает поблизости, пока не представится удобный момент. Не заметили ли вы чего-нибудь необычного на берегу? Может быть, у душевых?

Мак оцепенел при мысли, что за его детьми следил маньяк.

— Прошу прощения, ничего не могу припомнить...

— Вы останавливались где-нибудь по дороге к лагерю? Не заметили там какого-нибудь незнакомца, или когда гуляли, осматривая окрестности?

— Мы останавливались на водопаде Мултномах по пути сюда, за последние три дня исходили все вокруг, но я не помню, чтобы на глаза попался какой-нибудь подозрительный тип. Кто бы мог подумать...

— Мак, не надо себя терзать. Возможно, вспомните что-нибудь позже. И сколь бы мелким, незначительным оно ни показалось, все равно сообщите нам.— Она помолчала, глядя в блокнот.— А как насчет пикапа цвета хаки? Не замечали ли вы похожую машину, пока отдыхали?

Не помню. Наверное, нет.

Виковски продолжала задавать Маку вопросы еще минут пятнадцать, но так и не смогла выудить из его памяти что-нибудь стоящее. Наконец она закрыла блокнот и поднялась, протягивая руку.

— Мак, хочу еще раз сказать, что очень сожалею о Мисси. Если что-нибудь выяснится, я дам знать в ту же минуту.

В пять вечера поступило наконец первое обнадеживающее донесение с дорожного поста на шоссе Имнаха. Как и обещала, агент Виковски немедленно разыскала Мака и сообщила все подробности. Две супружеские пары встретили автомобиль, похожий на военный, который подходил под описание разыскиваемой машины. Эти свидетели путешествовали по местам стоянок индейцев нез-персе, расположенных вдоль шоссе «Национальный лес 4260» в одном из самых отдаленных уголков резервации. Возвращаясь оттуда, они видели едущий навстречу зеленый пикап, как раз южнее развилки, где шоссе расходится на «Национальный лес 4260» и «Национальный лес 250». Поскольку этот участок дороги очень узок, им пришлось сдать назад до удобного съезда, чтобы пикап мог проехать. Они заметили, что в кузове пикапа стояло много канистр с бензином, а также было полно разнообразного туристского снаряжения. Странным им показалось то, что водитель наклонился над пассажирским сиденьем, словно разглядывал что-то лежащее на полу. Несмотря на жаркий день, на нем были пальто и низко надвинутая шляпа, и создавалось впечатление, будто он прячется.

Как только об этом было сообщено всем, напряжение в штабе возросло. Томми пришел сказать Маку, что, как это ни печально, поступившие сведения соответствуют описанию Убийцы Божьих Коровок и тот явно стремится в глушь, где можно благополучно скрыться. Было совершенно очевидно, что он прекрасно сознает, что делает, поскольку местность, в которой его видели, значительно удалена от оживленных трасс.

Разгорелся спор, имеет ли смысл пускаться в погоню немедленно или стоит подождать до рассвета. Независимо от того, какой точки зрения придерживался каждый из спорщиков, все они принимали дело близко к сердцу. Для души почти каждого человека невыносима мысль о том, что где-то страдает невинный, в особенности ребенок. Даже законченные негодяи в исправительных заведениях сжимают кулаки и обрушивают гнев на тех, кто причинял боль детям.

Мак нетерпеливо вслушивался в то, что казалось ему пустопорожней болтовней и тратой времени. Он готов был силком потащить за собой Томми в лесную глушь. Ведь на счету каждая секунда!

Маку ожидание казалось сущей пыткой, но остальные быстро пришли к единодушному решению выезжать, как только будут завершены все необходимые приготовления. Из резервации было не так много выходов, однако существовала немалая вероятность, что опытный турист сумеет незамеченным перебраться в глухую часть штата Айдахо на востоке или штата Вашингтон на севере. Пока связывались с полицией в городах Льюистон в Айдахо и Кларкстон в Вашингтоне и разъясняли ситуацию, Мак позвонил Нэн, сообщил новости, а затем выехал вместе с Томми.

Теперь у него осталась только одна молитва: «Господи Боже, пожалуйста, пожалуйста, пожалуйста, помоги моей Мисси». Слезы текли по его щекам.

К половине восьмого колонна патрульных машин, фэбээровских внедорожников, пикапов со служебными собаками в клетках и машин местных лесничих тронулась в путь. Вместо того чтобы повернуть на восток по горной дороге Валлова, которая привела бы их сразу в резервацию, они двигались по шоссе Имнаха, держа курс на север. Затем они съехали на нижнее шоссе Имнаха, а под конец — на дорогу Даг-бар-роуд, пересекающую резервацию.

Маку временами казалось, что Даг-бар-роуд расходится разом во все стороны. Можно было подумать, кто-то был начисто лишен фантазии, либо сильно устал, либо напился, вот и принялся называть Даг-баром любое ответвление, лишь бы поскорее покончить с этим занятием.

Дороги, часто делающие резкие повороты вдоль крутых обрывов, стали еще более опасными в непроницаемой ночной темноте. Машины еле-еле ползли. Наконец они миновали точку, в которой был замечен зеленый пикап, а еще через милю показалась развилка, где шоссе «Национальный лес 4260» уходило дальше на север-северо-восток, а «Национальный лес 250» шло на юго-восток. Здесь, как и планировалось, отряд разделился, маленькая группа с агентом Виковски отправилась на север по шоссе 4260, а остальные, включая Мака, Эмиля и Томми, двинулись на юго-восток по дороге 250. Еще через несколько трудных миль большая группа снова разделилась: Томми и пикап с собаками поехали дальше по двести пятидесятому шоссе, туда, где, если верить карте, дорога заканчивалась, а все остальные устремились через парк на восток по шоссе «Национальный лес 4240», направляясь в район Темперенс-Крик.

С этого момента поиски еще больше замедлились. Все теперь шли пешком перед машинами, в мощном свете фар высматривая любые следы на дороге.

Почти два часа спустя, когда они с черепашьей скоростью приближались к концу дороги 250, Виковски вызвала по рации Далтона. Ее группа напала на след. Примерно в десяти милях от развилки, где они разделились, от дороги 4260 строго на север отходила старая безымянная грунтовка, которая обрывалась примерно через две мили. Она почти заросла и потому была едва заметной. На нее не обратили бы внимания, если бы один из следопытов не разглядел в свете фонарика колпак от колеса примерно в пятидесяти футах от главной дороги. Он поднял находку, стер дорожную грязь и разглядел на металле брызги зеленой краски. Колпак, должно быть, слетел, когда пикап выбирался из глубокой рытвины, их на дороге было предостаточно.

Группа Томми немедленно развернулась и двинулась обратно. Мак не позволял себе даже надеяться, что каким-то чудом Мисси еще жива, — все, что к этому времени стало известно, доказывало обратное. Прошло двадцать минут, и вот новый вызов от Виковски. Она сообщила, что пикап найден. Обнаружить его с воздуха не удалось бы никогда, поскольку он был тщательно укрыт навесом из ветвей.

Отряду Мака потребовалось почти три часа, чтобы нагнать Виковски. К тому времени все было кончено. Собаки нашли звериную тропку, она примерно через милю вывела в небольшую укромную долину. Там стояла ветхая хижина на берегу озера всего в полмили шириной, которое питалось падающей с утеса водой. Наверное, лет сто или даже больше назад это был домик переселенца. В нем имелось две комнаты, то есть достаточно места для небольшой семьи. С тех пор хижина, вероятно, служила пристанищем для охотников.

Когда Мак с друзьями присоединились к отряду Виковски, небо уже приобретало предрассветный серый оттенок. Лагерь разбили на порядочном расстоянии от хижины, чтобы сохранить возможные следы. Во все стороны были разосланы следопыты с собаками. Время от времени раздавался обнадеживающий лай и тут же смолкал. В конце концов все вернулись в лагерь, чтобы перегруппироваться и составить план на день.

Агент Виковски сидела за столом, работая с картами и отхлебывая воду из запотевшей бутылки, когда вошел Мак. Она улыбнулась и протянула бутылку, он взял. Ее глаза были печальны, но тон — безукоризненно деловой.

— Привет, Мак.— Она колебалась.— Может, присядете?

Мак не хотел садиться. Ему необходимо было что-нибудь делать, чтобы внутренности не сводило судорогой.

— Мак, мы кое-что обнаружили, но новости плохие.

Он поискал нужные слова.

— Вы нашли Мисси? — Он и хотел, и боялся услышать ответ на этот вопрос.

— Нет. Но кое-что обнаружили в лачуге. Хочу, чтобы вы взглянули. Мне необходимо знать, принадлежало ли...— она исправилась, но слишком поздно,— принадлежит ли это ей.

Мак уставился в землю. Он ощущал себя стариком, прожившим миллион лет и мечтающим превратиться в ничего не чувствующий камень.

— О Мак, простите,— извинилась Сэм, вставая.— Мы можем сделать это позже. Я просто подумала...

— Давайте сейчас,— пробормотал он еле слышно.— Я хочу знать все, что должен знать.

Виковски, наверное, подала какой-то знак остальным, потому что Мак внезапно почувствовал, как его взяли за руки. Эмиль и Томми повели его вслед за агентом по короткой тропинке к хижине.

Кто-то из бригады криминалистов открыл дверь, впуская их внутрь. Благодаря электрогенератору главная комната была ярко освещена. По стенам тянулись полки, в центре стол, несколько стульев, старый диван. Мак сразу увидел то, что должен был опознать, и забился в руках друзей, неудержимо рыдая. На полу, рядом с печкой, лежал изорванный и залитый кровью красный сарафан Мисси.

Следующие несколько недель превратились для Мака в череду бесед с представителями закона и прессы, за которыми последовало врезавшееся в память отпевание Мисси, с маленьким пустым гробом и в окружении множества скорбных лиц, которые проплывали мимо, и никто не знал, что сказать. Затем он начал медленно и мучительно возвращаться в повседневную жизнь.

Убийца Божьих Коровок, судя по всему, заполучил пятую жертву, Мелиссу Энн Филлипс. Как и в предыдущих четырех случаях, представители закона не нашли тела жертвы, хотя поисковые отряды несколько дней прочесывали лес вокруг хижины. Маньяк снова не оставил ни отпечатков пальцев, ни образца ДНК, вообще никаких улик, только булавку. Можно было подумать, что это не человек, а призрак.

Мак пытался абстрагироваться от горя и боли, хотя бы ради своей семьи. Да, они потеряли дочь и сестру, но было бы неправильно, если бы они лишились вдобавок отца и мужа. Хотя никто из участников событий не остался незатронутым трагедией, Кейт, кажется, пострадала больше других, она ушла в себя, подобно тому, как улитка прячет под раковиной нежное брюшко от любой возможной опасности. Создавалось впечатление, что Кейт высовывает наружу голову только тогда, когда ей кажется, будто вокруг совершенно безопасно, а так бывало все реже и реже. Мак и Нэн не могли найти нужных слов, чтобы пробиться через крепостные стены, которые она возвела вокруг своей души. Попытки поговорить превращались в односторонние монологи, слова отскакивали от ее окаменевшего лица. Можно было подумать, внутри ее что-то умерло и теперь разлагается, изредка прорываясь наружу горькими словами.

Джош справлялся с горем лучше частично благодаря дружбе по переписке, которую поддерживал с Амбер. Электронная почта и телефон позволяли ему выплеснуть свою боль, а Амбер давала ему время и пространство, чтобы горевать. К тому же он в этом году заканчивал среднюю школу, и в последний год обучения ему приходилось сосредотачиваться на иных делах.

Великая Скорбь пришла и распространила свое мертвящее влияние на все, что когда-то было связано с Мисси. Мак и Нэн переживали потерю достаточно мужественно. Нэн с самого начала дала понять, что ни в коем случае не винит Мака за то, что произошло. Понятное дело, Маку потребовалось гораздо больше времени, чтобы снять с себя хотя бы часть вины...

Как легко было позволить себе скатиться в бездну отчаяния. Что, если бы он решил не брать детей в поход; что, если бы он сказал «нет», когда они просились поплавать на каноэ; что, если бы они уехали на день раньше; что, если бы, если бы, если бы. И кончилось все ничем. Тот факт, что они не смогли похоронить тело Мисси, означал для него, как для отца, полный провал. Мысль о том, что оно по-прежнему где-то в лесу, преследовала его денно и нощно. Теперь, три с половиной года спустя, Мисси официально считалась погибшей. Жизнь никогда уже не станет по-настоящему нормальной. Она будет пустой без Мисси.

Трагедия расширила пропасть во взаимоотношениях Мака с Богом, однако он намеренно игнорировал разрастающееся чувство отчужденности. Вместо того он старался обрести стоическую, лишенную чувств веру, и хотя находил в этом какое-то утешение, кошмары, в которых ноги его вязли в грязи, а беззвучный крик не мог спасти его драгоценную Мисси, не прекращались. Но скверные сны приходили все реже, и уже случались моменты радости, и он ощущал себя виноватым из-за этого.

Поэтому письмо от Папы с повелением вернуться в хижину было для Мака из ряда вон выходящим событием. Неужели Бог действительно пишет письма? И почему именно та хижина — воплощение самой сильной его боли? Конечно же, Бог мог найти более подходящее место для встречи.

И однажды черная мысль посетила Мака: это же сам убийца дразнит его или выманивает из дому, чтобы семья осталась без всякой защиты. А может быть, все это просто жестокая мистификация? Но тогда почему записка подписана «Папа»?

Как Мак ни старался, он не мог отказаться от отчаянного предположения, что записка действительно послана самим Господом, даже если рассылка им писем не вполне соответствует теологическим выкладкам. В семинарии его учили, что Господь прекратил общение с современными людьми и предпочитает, чтобы они только следовали букве Писания, должным образом интерпретированного, разумеется. Глас Господень редуцировался до бумаги, и даже бумага нуждалась в толковании и расшифровке соответствующими уполномоченными лицами. Вроде бы непосредственное общение с Богом было чем-то истинным лишь для древних неискушенных людей, тогда как нынешние образованные люди Запада постигали Господа только через посредство особо обученных специалистов и под их контролем. Никто не искал вестей от Бога в почтовом ящике, только в книге. Особенно в дорогой книге, переплетенной в кожу, с позолоченным корешком.

Чем больше размышлял об этом Мак, тем более растерянным и раздраженным становился. Кто послал ему записку? Господь ли, убийца или злой шутник, да есть ли, в конце концов, разница? С какой стороны ни посмотри, все равно ясно, что с ним играют. И к тому же что толку почитать Господа? Посмотрите, куда это его завело.

Однако, несмотря на гнев и отчаяние, Мак понимал, что влип и воскресные молитвы и гимны больше ему не помогут, если вообще помогали когда-либо. Отрешенная от мира духовность, кажется, не оказывала никакого влияния на жизнь знакомых ему людей, за исключением разве что Нэн. Но ведь она особенная. Наверное, Господь ее действительно любит. Она не такая растяпа, как Мак. Ему же осточертел Господь, осточертела его религия, осточертели общины верующих, которые никак ни на что не влияли и не стремились ничего изменить.

Необходимо было что-то делать.

Глава 5

Угадайте, кто придет к ужину

Мы, как правило, признаем неубедительными свидетельства, которые взывают к нашей снисходительности. Просто мы настолько убеждены в правоте собственных суждений, что считаем несостоятельными любые доказательства, эту правоту не подтверждающие. Ничто, заслуживающее называться правдой, не достигается подобными средствами.

— Мэрилин Робинсон. «Смерть Адама» —

Случаются моменты, когда вы склонны верить чему-то такому, что в нормальном состоянии сочли бы совершенно нерациональным. Это не означает, будто оно действительно нерационально. Возможно, оно просто сверхрационально: довод, выходящий за рамки обычной констатации факта или сиюминутной логики, обретающий смысл только тогда, когда вы в состоянии увидеть гораздо более обширную картину реальности. Возможно, именно здесь и начинается вера.

Мак был во многом не уверен, но в глубине души в дни, последовавшие за его сражением с обледенелой дорожкой, мало-помалу пришел к убеждению, что существуют три вероятных объяснения записке. Либо она от Бога, как ни абсурдно это звучит, либо это жестокий розыгрыш, либо что-то еще более зловещее, затеянное убийцей Мисси. Каждую минуту, в часы бодрствования или ночью во сне, все его мысли были только о письме.

Он решил поехать в хижину на будущие выходные. Сначала никому не говорил об этом, даже Нэн. У него не было достойных аргументов для спора, который непременно возник бы в результате подобного признания, и он боялся, что в итоге придется сидеть взаперти, а ключ будет выброшен. В любом случае, рассудил он, разговор вызовет лишь новую боль, не знающую облегчения. «Я держу это при себе ради Нэн», — сказал он себе. Кроме того, рассказать о записке означало признать, что у него есть от жены тайны. Иногда искренность чревата лишь неприятностями.

Убежденный в необходимости поездки, Мак задумался о том, каким способом заставить домочадцев выехать из города на выходные, не вызвав ни в ком подозрений. Все-таки существовала вероятность, что убийца пытается выманить его из дома, чтобы семья осталась без защиты, а это было совершенно неприемлемо. Мак не знал, что предпринять. Нэн слишком хорошо чувствовала, когда он чего-то добивается, и всякое вмешательство с его стороны сейчас же вызвало бы вопросы, на которые он не был готов ответить.

К счастью для Мака, решение нашла сама Нэн. Она давно собиралась навестить сестру, семья которой проживала на островах Сан-Хуан, у побережья штата Вашингтон. Зять Нэн был детским психологом, и она полагала, что он сумеет благотворно повлиять на становившееся все более асоциальным поведение Кейт, в особенности если учесть, что ни мать, ни отец не преуспели в своих попытках достучаться до сознания девочки. И когда Нэн сообщила о предполагавшейся поездке, Мак с энтузиазмом поддержал эту идею.

— Разумеется, поезжайте.

Это был не тот ответ, который Нэн ожидала услышать, поэтому она посмотрела на мужа с недоумением.

— Я хочу сказать,— промямлил он,— что мне эта мысль кажется великолепной. Я, конечно, буду без вас скучать, но, полагаю, смогу выдержать несколько дней. К тому же у меня полно работы.

Она пожала плечами — кажется, была благодарна за то, что путь для нее открылся так легко.

— Я просто подумала, что Кейт не повредит, если она сменит на несколько дней обстановку,— прибавила Нэн, и он кивнул, соглашаясь.

Звонок сестре — и вопрос поездки Нэн решен. Дом тут же превратился в водоворот деятельности. Джош и Кейт были в восторге, поскольку у них продлевались на неделю весенние каникулы. К тому же они любили ездить в гости к двоюродным братьям и сестрам.

Мак украдкой позвонил Вилли и, стараясь не выдавать слишком многого, спросил, можно ли взять на время полноприводный джип. Поскольку Нэн забирала фургон, ему требовалось что-нибудь помощнее его маленькой легковушки, чтобы бороздить ухабистые дороги резервации, которые наверняка будут еще скованы дыханием зимы. Просьба закономерно вызвала у Вилли массу вопросов, на которые Мак постарался ответить как можно уклончивее. Когда Вилли прямо спросил, не собирается ли он съездить в хижину, Мак заявил, что пока на это ответить не может, но все объяснит, когда утром Вилли заедет, чтобы поменяться машинами.

Во второй половине дня, в четверг, Мак, после многочисленных объятий и поцелуев, проводил Нэн, Кейт и Джоша, а затем начал неспешно собираться в поездку на северо-восток Орегона, к месту, породившему его кошмары. Он рассудил, что ему почти ничего не понадобится, если приглашение прислал сам Господь, но на всякий случай набил портативный холодильник припасами, которых с избытком должно было хватить на те мили, которые он собирался преодолеть; к холодильнику он присовокупил спальный мешок, свечи, спички и множество других средств для выживания. Он почти не сомневался, что выставит себя полным идиотом или окажется жертвой циничного розыгрыша, но в таком случае он будет волен попросту уехать оттуда. Стук в дверь вывел Мака из размышлений, это пришел Вилли. Разговор накануне, видимо, сильно его заинтриговал, если он не поленился явиться в такую рань. Хорошо, что Нэн уже успела уехать.

— Я здесь, Вилли, в кухне,— позвал Мак.

Миг спустя Вилли появился из коридора и только головой покачал при виде устроенного Маком разгрома. Он привалился к дверному косяку и скрестил руки на груди.

— Я заправил джип под завязку, но ключей тебе не отдам, пока не скажешь, куда едешь.

Мак продолжал рассовывать вещи по рюкзакам. Он знал, что лгать другу нет смысла, а джип был ему необходим.

— Я возвращаюсь в хижину.

— Это я и сам уже понял. Но хочу знать, с чего вдруг ты собрался туда ехать в это время года. Не знаю, выдержит ли мой старый джип тамошние дороги. На всякий случай я положил в багажник цепи, вдруг пригодятся.

Не глядя на него, Мак прошел в кабинет, снял крышку с жестяной коробочки и вынул письмо. Вернувшись в кухню, он протянул бумагу Вилли. Тот развернул и прочитал записку.

— Что за умалишенный прислал тебе это? И кто такой Папа?

— Ну, ты же знаешь, Папа — любимое прозвище Бога у Нэн.— Мак пожал плечами, не зная, что еще сказать. Он забрал записку и сунул в карман рубашки.

— Постой-ка, ты же не думаешь, что это действительно от Бога?

Мак остановился и посмотрел ему в глаза.

— Вилли, я не знаю, что думать. То есть сначала я решил, что это какое-то издевательство, и страшно разозлился. Может, я просто схожу с ума. Понимаю, это звучит глупо, но меня не отпускает странное желание все выяснить. Я просто обязан поехать, Вилли, иначе по-настоящему свихнусь.

— А ты не думал, что это может оказаться тот убийца? Что, если он просто хочет заманить тебя туда по какой-то причине?

— Конечно думал,— произнес Мак мрачно.— Даже буду рад, если это так. У меня есть за что с ним поквитаться. Только это все равно ничего не объясняет. Сомневаюсь, что убийца подписался бы Папой. Чтобы это сделать, надо очень хорошо знать нашу семью.

Вилли был озадачен.

Мак продолжал:

— А никто из наших друзей не послал бы такого письма. Мне кажется, только Бог мог бы...

— Но Бог не занимается подобной ерундой. Во всяком случае, лично я ни разу не слышал, чтобы он посылал кому-то письма. Нет, он, конечно, может, ну, ты понимаешь, что я имею в виду. И почему он хочет, чтобы ты приехал непременно в ту хижину? Не могу себе представить менее подходящее место...

Мак привалился к кухонному столу и уставился в щель в полу, прежде чем ответить.

— Я ни в чем не уверен. Полагаю, часть моего существа хотела бы верить, что Бог достаточно печется обо мне, чтобы посылать письма. Столько времени прошло, а я все еще не знаю, что и думать, и лучше не становится. Такое ощущение, что мы теряем Кейт, и это меня убивает. Может быть, случившееся с Мисси — это Божье наказание за то, что я сделал с отцом? Я не знаю.— Он взглянул в глаза человеку, который переживал за него больше всех остальных, за исключением разве что Нэн.— Я знаю только одно: мне необходимо вернуться туда.

Они долго молчали, прежде чем Вилли снова заговорил:

— Так когда мы едем?

Мак был тронут готовностью друга окунуться в его безумие.

— Спасибо, дружище, но мне все-таки надо поехать одному.

— Я знал, что ты так ответишь,— отозвался Вилли, выходя из кухни. Несколько мгновений спустя он вернулся с пистолетом и коробкой патронов. Он положил все на стол.— Я подумал, что не смогу отговорить тебя от поездки, а это может пригодиться. Полагаю, ты знаешь, как им пользоваться.

Мак посмотрел на оружие. Он знал, что Вилли рассудил правильно и старается ему помочь.

— Вилли, прошло уже тридцать лет с тех пор, как я последний раз прикасался к оружию, и не собираюсь делать это сейчас. Если я тогда вынес для себя урок, то он состоит в том, что, разрешая проблему насилием, ты оказываешься перед лицом еще большей проблемы.

— Но что, если это убийца Мисси? Что ты станешь делать, когда встретишься с ним?

Мак пожал плечами.

— Честное слово, не знаю. Наверное, рискну.

— Но ты окажешься беззащитным. Откуда тебе знать, что у него на уме. Просто возьми.— Вилли толкнул по столешнице пистолет и патроны к Маку.— Тебе необязательно его использовать.

Мак посмотрел на оружие и, после недолгой борьбы с сомнениями, протянул руку к пистолету с патронами, осторожно опустил их в карман.

— Ладно, на всякий случай.

Он развернулся, взял багаж в обе руки и направился к джипу. Вилли подхватил оставшийся большой спортивный рюкзак, который оказался тяжелее, чем он думал, и, покряхтывая, понес его следом.

— Мак, если думаешь, что там тебя ждет Бог, зачем все это?

Мак грустно улыбнулся:

— Это способ прикрыть тылы. Ну, ты понимаешь: надо быть готовым ко всему, что может произойти... или не произойти.

Они вышли из дома и пошли по дорожке к джипу. Вилли достал из кармана ключи и отдал Маку.

— Кстати, а где все остальные и что думает Нэн о твоем возвращении в хижину? Не могу представить, чтобы она согласилась.

— Нэн с детьми уехали к ее сестре на острова, и... я ей ничего не сказал,— признался Мак.

Вилли был поражен.

— Как! У тебя же никогда не было от нее секретов. Не могу поверить, что ты ей солгал!

— Я не лгал,— возразил Мак.

— Ну, уж прости мне занудство,— возмутился Вилли.— Да, конечно, ты не лгал, потому что просто не сказал правды. Да, разумеется, она все поймет как надо...

Мак, не обратив внимания на его выпад, вернулся в дом, прошел в свой кабинет. Там он отыскал запасные ключи от своей машины и, поколебавшись мгновение, захватил жестяную коробку. После чего вернулся к Вилли.

— Слушай, а как он выглядит, по-твоему? — вдруг засмеялся Вилли.

— Кто? — спросил Мак.

— Господь, конечно. Каким он окажется на вид, если соблаговолит появиться? Я так и вижу, как ты пугаешь до смерти какого-нибудь несчастного туриста, спрашивая, не Господь ли он.

Мак усмехнулся.

— Не знаю. Может, он в самом деле яркий свет или горящий куст. Я всегда предпочитал представлять его величественным стариком с длинной белой волнистой бородой, вроде Гэндальфа из «Властелина колец».

Он пожал плечами и отдал Вилли ключи, после чего друзья обнялись. Вилли сел в машину Мака и опустил стекло с водительской стороны.

— Ладно, если он появится, передай от меня привет,— с улыбкой сказал он.— Скажи, что у меня тоже есть несколько вопросов. И вот еще что, Мак, не выводи его из себя.— Они оба рассмеялись.— А если серьезно,— продолжал Вилли,— я буду за тебя волноваться, дружище. Лучше бы я поехал с тобой, или Нэн, или кто-нибудь еще. Надеюсь, ты найдешь там все, в чем нуждаешься. Я за тебя помолюсь разок-другой.

— Спасибо, Вилли. Я тоже тебя люблю.

Мак помахал, когда Вилли сдавал назад по подъездной дорожке. Он знал, что друг сдержит слово и произнесет за него все молитвы, какие знает.

Он смотрел вслед, пока машина не скрылась за углом, затем вынул письмо из кармана рубашки, еще раз прочитал и положил в жестянку, которую пристроил на заднее сиденье среди прочего багажа. Заперев все дверцы, направился к дому.

———

В пятницу, задолго до рассвета, Мак выехал из города и двинулся по шоссе I-84. Нэн позвонила накануне вечером от сестры и сообщила, что они добрались без происшествий, поэтому следующего звонка он ждал не раньше воскресенья. К тому времени он, наверное, уже будет возвращаться, если еще не окажется дома. Мак переадресовал звонки с домашнего телефона на мобильный, так, на всякий случай, потому что в резервации вряд ли будет связь.

Он ехал тем же путем, каким и три с половиной года назад, лишь с незначительными изменениями: не делал так много санитарно-гигиенических остановок и миновал водопад Мултномах, даже не взглянув на него. Он гнал от себя мысли об этом месте с тех пор, как исчезла Мисси; он надежно запер чувства в подвале собственной души.

На долгом перегоне вдоль каньона Мак ощутил, как ужас постепенно охватывает его. Он старался не думать о том, что делает, а просто двигался вперед, но подобно тому, как трава пробивается сквозь асфальт, так и подавляемые страхи каким-то образом сумели прорасти. Глаза его потемнели, руки вцепились в руль, потому что у каждого съезда с шоссе он боролся с искушением развернуться и отправиться домой. Он сознавал, что едет прямо в самое сердце своей боли, в эпицентр Великой Скорби, которая почти лишила его уверенности, что он еще жив. На него волнами накатывали видения из прошлого, перемежаемые секундными приступами гнева, приправленные вкусом крови и желчи во рту.

Наконец он достиг Ла-Гранде, где заправился бензином, после чего двинулся по шоссе 82 на Джозеф. Ему очень хотелось сделать остановку и повидаться с Томми, но он решил не делать этого. Чем меньше народу будет считать его психом, тем лучше.

Путь был легким, шоссе Имнаха и дороги покороче оказались поразительно чистыми и сухими для этого времени года. Однако ехал он все медленнее, как будто хижина противилась его приближению. Джип пересек границу снегов, преодолевая последние мили до дороги, которая приведет вниз, к хижине. За шумом мотора он слышал, как покрышки с хрустом давят снег и лед. Но даже после нескольких неверных поворотов и возвращений назад время только-только подошло к полудню, когда Мак наконец остановился на едва заметной колее.

Он сидел в машине добрых пять минут, упрекая себя за то, что свалял такого дурака. С каждой милей, отдалявшей его от Джозефа, возвращались воспоминания, которым адреналин придавал исключительную четкость, и теперь Мак был совершенно уверен, что дальше идти не хочет. Однако сопротивляться желанию узнать правду было невозможно. Продолжая спорить с собой, он застегнул пальто и потянулся за кожаными перчатками.

Он вышел из машины и двинулся по тропинке, решив одолеть пешком оставшуюся до озера милю, — хотя бы не придется тащить снаряжение вверх по холму, когда настанет пора ехать обратно, что случится, как он теперь подозревал, очень скоро.

Было довольно холодно, и пар от дыхания окутывал его, и возникло ощущение, что вот-вот начнется снегопад. Боль, разраставшаяся в животе, вызвала у него панический страх.

Пройдя пять шагов, Мак остановился, и его вырвало с такой силой, что он упал на колени.

— Пожалуйста, помоги мне! — простонал он, затем поднялся и повернул назад.

Мак открыл переднюю пассажирскую дверцу, пошарил по сиденью, нащупал жестяную коробку, снял крышку и вынул то, что искал: свою любимую фотографию Мисси, которую взял вместе с запиской. Закрыв коробку, возвратил ее на сиденье. Помедлил, глядя на бардачок. Наконец открыл его, достал пистолет, проверил, заряжен ли и стоит ли на предохранителе. Распрямившись, закрыл дверцу, сунул руку под пальто и заткнул оружие за ремень сзади. И снова двинулся по тропинке, в последний раз глянув на фотографию Мисси, прежде чем убрать ее в карман рубашки вместе с письмом. Если его найдут убитым, то, по крайней мере, узнают, о ком он думал.

Путь был опасным — сплошные обледенелые камни. Каждый шаг требовал сосредоточенности, пока Мак пробирался через лес. Стояла жутковатая тишина. Он слышал только скрип снега под ногами и шум собственного дыхания. Возникло такое чувство, будто за ним следят, и разок он даже крутанулся на месте, чтобы выяснить, нет ли рядом кого-нибудь. И хотя ему очень хотелось бегом кинуться к джипу, ноги словно обрели собственную волю и твердо вознамерились двигаться дальше, все глубже в сумрачный лес.

Внезапно что-то шевельнулось поблизости. Вздрогнув, он замер, обратившись в слух. Стук сердца отдавался в ушах, во рту пересохло; он медленно потянулся к пистолету. Сняв его с предохранителя, Мак пристально вглядывался в темный подлесок, стараясь увидеть или услышать то, что издало непонятный шорох. Но то, что двигалось, теперь замерло. На всякий случай он простоял неподвижно несколько минут, прежде чем пошел дальше, стараясь ступать как можно тише.

Лес теснился вокруг, и он уже начал всерьез опасаться, что выбрал не ту тропинку. Краем глаза Мак снова уловил движение и сейчас же присел, вглядываясь между низко нависающими ветвями ближайшего дерева. Что-то призрачное, похожее на тень, скользнуло в кусты. Или ему померещилось? Он снова подождал, не шевеля ни мускулом. Это Бог? Вряд ли. Может быть, какое-то животное? Он не помнил, водятся ли здесь волки, а лось или олень наделали бы гораздо больше шума. И тут пришла мысль, которой он так упорно избегал: «Что, если все гораздо хуже? Что, если меня нарочно заманили сюда? Но чего ради?»

Медленно поднявшись из своего укрытия, он сделал шаг вперед, и тут куст у него за спиной как будто взорвался. Мак развернулся на месте, готовый дорого продать свою жизнь, но не успел он спустить курок, как увидел спину барсука, удирающего по тропинке. Он медленно выпустил из груди воздух, осознав, что все это время задерживал дыхание, и покачал головой. Мак-храбрец превратился в заблудившегося в лесу мальчишку. Поставив пистолет на предохранитель, он убрал его. «А ведь кое-кому едва не досталось», — подумал он.

Глубоко вдохнув и медленно выдохнув, он успокоился. Твердо решив, что со страхами теперь покончено, двинулся дальше по тропинке, стараясь казаться более уверенным, чем было на самом деле. Он надеялся, что приехал сюда не просто так. Если Бог в самом деле встретится здесь, Мак потребует у него ответа на кое-какие вопросы, со всем уважением, разумеется.

Еще несколько поворотов, и он выбрался из леса на полянку. На дальнем ее конце, чуть ниже по склону, он увидел хижину. Он стоял, глядя на нее, а живот превратился в туго завязанный, ноющий от боли узел. Внешне как будто ничего не изменилось, если не считать того, что зима сдернула листья с деревьев и набросила на все кругом белое покрывало. Хижина казалась мертвой и пустой, но пока он смотрел на нее, она на мгновение превратилась в злобную рожу, кривящуюся в демонической гримасе. Не обращая внимания на разрастающийся страх, Мак преодолел последние сто ярдов и поднялся на крыльцо.

Воспоминания о том, при каких обстоятельствах последний раз стоял у этой двери, нахлынули на него, и он заколебался, прежде чем толкнуть дверь.

— Эй! — позвал он негромко. Откашлявшись, позвал снова, на этот раз громче: — Эй! Есть здесь кто-нибудь?

Ощутив прилив храбрости, он перешагнул порог и остановился.

Когда глаза привыкли к сумраку, он начал различать детали комнаты в послеполуденном свете, проникающем сквозь выбитые окна. Войдя в главное помещение, он узнал старые стулья и стол. Мак ничего не мог поделать с собой, взгляд сам впился в то место, смотреть на которое было невыносимо. Даже спустя несколько лет поблекшее пятно крови все еще отчетливо виднелось на досках рядом с очагом, там, где они нашли сарафан Мисси.

— Прости меня, родная.— Слезы покатились у него по щекам.

И наконец его сердце выплеснуло весь накопившийся гнев, позволив ему устремиться ревущим потоком по камням каньона его чувств. Обратив глаза к небу, он принялся выкрикивать мучившие его вопросы:

— Почему? Почему ты допустил, чтобы такое случилось? Зачем привел меня сюда? Из всех мест на свете, где я мог бы встретиться с тобой, почему — здесь? Неужели мало того, что мой ребенок убит? Хочешь расправиться и со мной?

В слепой ярости Мак схватил ближайший стул и швырнул в стену. Стул разлетелся вдребезги. Он поднял ножку и принялся колотить ею по всему, что попадалось под руку. Стоны и крики отчаяния срывались с его уст.

— Ненавижу тебя! — Обезумев, он выплескивал ярость, пока не обессилел.

Тогда он опустился на пол рядом с кровавым пятном. Осторожно дотронулся до него. Это было все, что осталось от Мисси. Его пальцы с нежностью касались края выцветшего пятна, и он еле слышно шептал:

— Мисси, прости меня. Прости, что не смог тебя защитить. Прости, что так тебя и не нашел.

Гнев его, однако, не ослабел, и он снова выбрал мишенью равнодушного Бога, местонахождение которого представлял себе где-то над крышей хижины.

— Господь, ты даже не позволил нам найти и похоронить ее тело. Неужели это была бы слишком большая милость?

Пока смешанные чувства бурлили в нем, гнев перешел в боль, и новая волна скорби начала смешиваться со смущением.

— Ну где же ты? Я-то думал, ты хочешь встретиться со мной. Так вот, я пришел, Господь! Где ты? Тебя не видно! Тебя не было рядом ни когда я был маленьким мальчиком, ни когда я потерял Мисси. Ни теперь! Хороший же ты «Папа»!

Он замолчал. Вихрь оставшихся без ответа вопросов и обращенных в бесконечность обвинений закружился вокруг Мака и медленно опустил его в бездну отчаяния. Великая Скорбь сомкнулась вокруг, и он был почти рад ее удушливому объятию. Эту боль он знал. Она была ему привычна, почти стала другом.

Мак ощущал спиной приглашающее к действию холодное прикосновение пистолета. Вынул его, не зная, что хочет сделать. Покончить с переживаниями, прекратить боль, никогда ничего не чувствовать вообще? Самоубийство? На миг эта мысль показалась привлекательной. «Это же так просто, — подумал он. — Никаких больше слез, никакой муки...» Он почти видел, как черная пропасть разверзается в полу перед ним и темнота высасывает из сердца последние проблески надежды. Убить себя означало бы нанести ответный удар Богу, если Бог вообще существует.

Тучи разошлись в стороны, и внезапно солнечный луч упал в комнату, пронзив сердцевину его отчаяния. Но... как же Нэн? И что будет с Джошем, Кейт, Тайлером и Джоном? Как бы сильно он ни хотел покончить с этой душевной мукой, он понимал, что не имеет права сделать им еще больнее.

Мак сидел в полном оцепенении, взвешивая все возможности и ощущая в руке оружие. Холодный ветерок прошелся по его лицу, и захотелось лечь и замерзнуть насмерть, ведь он так изнурен. Он привалился к стене и потер слипающиеся глаза. Позволил им закрыться, бормоча себе под нос:

— Я люблю тебя, Мисси. Я так по тебе скучаю.

И без всякого усилия погрузился в мертвый сон.

Прошло, должно быть, всего несколько минут, прежде чем Мак проснулся, как от толчка. Удивленный тем, что его так сморило, он быстро поднялся на ноги. Засунув пистолет за ремень, двинулся к двери. «Это просто нелепо! Какой я идиот! Поверить, будто Господь печется обо мне настолько, чтобы слать письма!»

Он поднял глаза к потолочным балкам.

— Со мной покончено, Господь,— шепотом произнес он.— Я больше не могу. Я смертельно устал, пытаясь тебя отыскать.

И с этими словами он вышел за дверь, твердо решив, что это был последний раз, когда он отправился на поиски Бога. Если он нужен Богу, пусть Бог сам его и ищет.

Он вынул из кармана письмо, обнаруженное в почтовом ящике, и разорвал на мелкие клочки, позволив им унестись в порывах холодного ветра. Усталый пожилой человек, он сошел с крыльца и с тяжелым сердцем направился обратно к машине.

Не успел он пройти пятидесяти шагов по тропинке, как вдруг ощутил спиной теплый ветер. Звонкая птичья трель нарушила стылую тишину. Тропинка перед ним стремительно лишалась снежно-ледяного панциря. Мак, остановившись, с изумлением смотрел, как с земли исчезает белое покрывало, сменяясь яркой растительностью. Три недели весны промелькнули перед ним за полминуты. Он протер глаза, стараясь удержаться на ногах в водовороте перемен. Даже легкие снежинки, которые посыпались с неба, превратились в крохотные лепестки, лениво планирующие на землю.

То, что он наблюдал, разумеется, было невозможным. Снежные сугробы испарились, летние цветочки рассыпались цветными пятнами вдоль тропинки и по всему лесу, куда доставал взгляд. Малиновки и зяблики порхали между деревьями. Белки и бурундуки время от времени перебирались через тропинку, некоторые усаживались и секунду разглядывали его, прежде чем снова скрыться в подлеске. Ему даже показалось, что он видит олененка, вышедшего из темного леса на опушку, но когда он взглянул еще раз, тот уже исчез. И, словно всего этого было недостаточно, ароматы цветов начали растекаться в воздухе, причем не просто терпкие запахи диких горных трав, а богатые ароматы роз, орхидей и прочих экзотических растений, живущих в тропическом климате.

Мак уже не думал о возвращении домой. Страх охватил его, как будто он открыл ящик Пандоры и его затянуло в самый центр безумия, чтобы он потерялся там навеки. Он неуверенно повернулся, стараясь сохранять остатки здравого рассудка.

И был ошеломлен. Жалкая лачуга превратилась в крепкую и красивую избу, она была сложена из ошкуренных цельных бревен, идеально подогнанных друг к другу.

Ни черного подлеска и спутанных кустов, ни шиповника и заманихи — все, что видел теперь Мак, было просто сказочно красиво. Дымок лениво поднимался из трубы в предвечернее небо, означая, что в доме кто-то есть. К крыльцу вела дорожка, обнесенная по бокам невысоким белым забором. Откуда-то доносился смех, может быть, из дома, он не смог определить.

Наверное, вот так люди сходят с ума.

— Я спятил,— шепотом сказал Мак.— Этого не может быть. Это все ненастоящее.

Подобное место Мак видел когда-то в самых лучших своих снах, отчего окружающее казалось еще более подозрительным. Пейзаж был удивительный, зрелище головокружительное, и ноги, словно сами все решив, понесли его по дорожке прямо к крыльцу. Цветы росли повсюду, смесь цветочных ароматов и душистых трав пробуждала обрывки давно забытых воспоминаний. Он где-то читал, что обоняние вернее прочих чувств пробуждает забытые воспоминания, и сейчас у него в голове замелькали давно погребенные образы из детства.

На пороге он остановился. Голоса явственно доносились изнутри. Мак подавил желание бежать прочь, словно ребенок, который угодил мячом в соседский цветник. «Но если Бог в доме, пользы от этого все равно не много, верно?» Он закрыл глаза и помотал головой, чтобы выяснить, не исчезнет ли галлюцинация, не вернется ли реальность. Но когда он снова открыл глаза, все было на месте. Поддавшись искушению, он протянул руку и коснулся деревянных перил. Они определенно были настоящими.

Теперь он столкнулся с другой проблемой. Что принято делать, когда оказываешься у двери дома, в данном случае хижины, где может оказаться сам Господь? Постучать? Надо полагать, Бог уже знает, что Мак за порогом. Может, надо просто войти и представиться, но и это кажется не менее абсурдным. Да и как к нему обращаться? Называть его Отец, Всемогущий или просто мистер Бог? Или, может, лучше пасть ниц и вознести хвалу, хотя особенного желания падать ниц у него нет...

Пока Мак пытался обрести душевное равновесие, гнев, вроде бы умерший внутри его, начал возрождаться. Уже не беспокоясь о том, что скажет Богу, подгоняемый яростью, он шагнул к двери. Он решил громко постучать и посмотреть, что из этого выйдет, но, когда уже занес кулак, дверь сама распахнулась и он встретился взглядом с крупной, радостно улыбающейся негритянкой.

Он инстинктивно отшатнулся, но оказался недостаточно проворен. Со стремительностью, которая никак не вязалась с ее габаритами, она преодолела разделяющее их расстояние и обхватила его руками, запросто оторвав от земли, после чего закружила, словно маленького ребенка. При этом она не переставая выкрикивала его имя — Макензи Аллен Филлипс — так, словно увидела давно потерянного и горячо любимого родственника. Наконец она опустила его на землю и, положив руки ему на плечи, чуть отстранила, словно желая получше рассмотреть.

— Мак, дай-ка на тебя взглянуть! Как же ты вырос. Я прямо-таки сгорала от нетерпения, хотела тебя увидеть. Как чудесно, что ты здесь, вместе с нами. Боже, боже, боже мой, как же особенно я тебя люблю! — И с этими словами она снова заключила его в объятия.

Мак лишился дара речи. За считаные секунды эта женщина камня на камне не оставила от всех барьеров, которыми он так старательно себя окружал. Что-то в ее манере глядеть на него, произносить его имя заставило Мака тоже обрадоваться, хотя он понятия не имел, кто она такая.

Внезапно он с изумлением ощутил исходящий от нее аромат. Это был запах с оттенками гардении и жасмина, это были духи матери, которые он хранил в своей жестяной коробке. Он и без того уже опасно балансировал на грани, и теперь обволакивающий запах и подавленные воспоминания доконали его. Он чувствовал, как теплая влага собирается в глазах, слезы стучались в дверь его души. Кажется, негритянка тоже заметила их.

— Все хорошо, милый... Я знаю, тебе больно, я знаю, что ты испуган и смущен. Так что давай выплачься. Душе полезно время от времени излить воду, исцеляющую воду.

Мак еще не был готов плакать, пока еще нет, не перед этой женщиной. Собрав все силы, он удержался от падения в черную дыру своих переживаний. Женщина стояла, раскинув руки, явно готовая вновь обнять его. Он чувствовал присутствие любви. Теплое, приглашающее, растапливающее холод.

— Не готов? — поняла она.— Ничего страшного, все будем делать, когда ты захочешь, всему свое время. Ну, заходи же. Можно, я возьму куртку? И заберу пистолет? Он же тебе не нужен, правда? Мы ведь не хотим, чтобы кто-нибудь пострадал?

Мак не знал, что делать и что говорить. Кто она такая? И откуда она все знает? Он словно прирос к тому месту, где стоял, но машинально снял куртку.

Негритянка забрала ее, он протянул пистолет, который она взяла двумя пальцами, словно это была какая-то гадость. Когда она уже повернулась, чтобы войти в дом, в дверном проеме появилась миниатюрная женщина с совершенно азиатскими чертами лица.

— А я заберу вот это,— произнесла она певуче.

Судя по всему, она имела в виду не куртку и не пистолет, а что-то иное и оказалась перед Маком, не успел он и глазом моргнуть. Он замер, когда ощутил нежное прикосновение к щеке. Не шевелясь, опустил глаза и увидел в ее руках хрупкую хрустальную бутылочку и небольшую кисть, похожую на те, какими Нэн и Кейт наносят косметику.

Не успел он спросить, что она делает, как она улыбнулась и прошептала:

— Макензи, мы все питаем к некоторым вещам слабость и стараемся их сохранить, правда? — У него в памяти всплыла жестяная коробка.— Я собираю слезы.

Она отошла в сторону, и Мак поймал себя на том, что невольно щурится, глядя вслед, словно пытаясь рассмотреть ее получше. Но странное дело, ему все равно было сложно сосредоточить на ней взгляд, она как будто мерцала на солнце, а волосы развевались во все стороны, хотя не было ни дуновения ветерка. Было проще смотреть на нее краем глаза, чем прямо в лицо.

Тогда он посмотрел мимо нее и увидел мужчину, выходящего из хижины. По виду он был уроженцем Ближнего

Востока, одет словно рабочий, даже с поясом для инструментов и с перчатками. Он непринужденно привалился к дверному косяку и скрестил руки на груди, его джинсы были покрыты слоем опилок, а рукава клетчатой рубашки закатаны, обнажая мускулистые предплечья. Черты его лица были довольно приятны, но не сказать, что особенно красивы. Однако его глаза и улыбка освещали лицо, и Мак не мог отвести от него взгляд.

Мак попятился, чувствуя себя окончательно сбитым с толку.

— Есть еще кто-нибудь? — спросил он слегка осипшим голосом.

Все трое переглянулись и засмеялись. Мак тоже невольно улыбнулся.

— Нет, Макензи,— хихикнула негритянка.— Мы все, что у тебя есть, и, поверь, нас более чем достаточно.

Мак снова взглянул на азиатку. Эта изящная особа могла быть родом из Северного Китая, Непала или даже Монголии. Определить было трудно, так как приходилось напрягать зрение, чтобы просто смотреть на нее. По ее одежде Мак определил, что она занимается огородничеством или садоводством. За ремень были заткнуты рабочие перчатки, но не толстые кожаные, как у мужчины, а из хлопка и с резиновыми пупырышками, такие Мак сам надевал, работая в саду. На ней были простые джинсы с вышитыми узорами по низу штанин, спереди припудренные пылью — похоже, она недавно стояла на коленях,— и яркая блуза с вкраплениями желтого, красного и синего цветов. Но Мак понимал, что все это скорее впечатление от нее, чем ее истинный вид, потому что она то вплывала в поле его зрения, то ускользала.

Тут мужчина подошел к Маку, взял за плечи, поцеловал в обе щеки и крепко обнял, и Мак тотчас понял, что этот человек ему нравится. Когда мужчина отступил назад, к Маку снова приблизилась женщина азиатской наружности, на этот раз она обхватила его голову руками. Постепенно и целенаправленно она приблизила к нему свое лицо, и когда он уже решил, что будет поцелуй, она остановилась и заглянула ему в глаза. Маку показалось, он видит сквозь нее. Затем она улыбнулась, и исходящие от нее ароматы как будто сняли громадный груз с его души, словно до сих пор он тащил на спине рюкзак с полным снаряжением.

Мак внезапно почувствовал себя легким, как воздух, словно он уже парил над землей. Она обнимала его, не обнимая. И лишь когда она отстранилась, он осознал, что его ноги по-прежнему касаются пола.

— О, не обращай на нее внимания, — засмеялась негритянка. — Она на всех производит такое впечатление.

— А мне понравилось, — пробормотал он.

Все трое снова засмеялись, и Мак понял, что на этот раз он смеется вместе с ними, не зная над чем и не стремясь узнать.

Когда они наконец успокоились, негритянка обняла Мака за шею, притянула к себе и сказала:

— Ладно, мы знаем, кто ты такой, но, полагаю, нам тоже следует представиться. Я, — она пылко взмахнула руками, — домоправительница и повариха. Можешь звать меня Элозия.

— Элозия? — переспросил Мак, совершенно ничего не понимая.

— Нет, ты не обязан называть меня Элозией, просто это имя я люблю больше остальных, оно имеет для меня особенное значение.— Она сложила руки на груди и подперла пальцами одной руки подбородок, словно напряженно размышляя над чем-то.— Можешь звать меня так, как зовет Нэн.

— Что? Ты же не хочешь сказать...— Мак еще больше растерялся. Это, конечно же, не тот Папа, который прислал ему письмо? — Я имею в виду, не звать же мне тебя Папой?

— Именно,— ответила она и улыбнулась, дожидаясь его ответа, хотя он вовсе не порывался что-то сказать.

— Теперь я,— вмешался мужчина, которому было лет тридцать на вид, а ростом он был чуть ниже Мака.— Я занимаюсь ремонтом, стараюсь поддерживать все вокруг в порядке. Люблю поработать руками, хотя, как тебе подтвердят, мне нравится и готовить, и возиться в саду не меньше, чем им.

— Судя по внешности, ты с Ближнего Востока. Может, араб? — высказал догадку Мак.

— На самом деле я пасынок этой большой семьи. Я еврей, а если точно, родом из Дома иудеев.

— Так ты...— Мак внезапно споткнулся о собственную догадку.— Получается, ты...

— Иисус? Да. И можешь звать меня так, если угодно. В конце концов это имя стало моим. Мама звала меня Иешуа, но всем известно, что я также откликался на имя Джошуа или даже Иессей.

Все, что видел и слышал Мак, не укладывалось у него в голове. Это было так невероятно... Внезапно ему показалось, что он теряет сознание. Чувства захлестнули его, разум тщетно старался совладать с полученной информацией. И когда Мак уже был готов рухнуть на колени, к нему снова приблизилась азиатка, заставив переключить внимание на нее.

— А я Сарайю,— произнесла она, чуть поклонившись.— Хранительница садов, помимо всего прочего.

Мак все не мог решить, как ему относиться к происходящему. Кто из этих людей Бог? Может, они просто галлюцинация или ангелы, а Бог придет позже? Такое кого угодно смутит. Раз их трое, может, это некое подобие Троицы? Но две женщины и мужчина, причем ни один из них не европеец? С другой стороны, откуда у него такая уверенность, будто Бог должен быть белым? Мысли разбегались, поэтому он решил сосредоточиться на вопросе, ответ на который хотел получить больше всего.

— Так кто же из вас,— с усилием проговорил Мак,— Бог?

— Я,— ответили все трое хором.

Мак переводил взгляд с одного на другого, и хотя еще не сознавал толком, что сейчас видит и слышит, он почему-то им поверил.

Глава 6

Часть числа?

Неважно, какой силой может быть Бог, первым аспектом Бога никогда не станет Повелитель всего, Всемогущий. Это аспект того Бога, который ставит себя на один уровень с человеком и ограничивает себя.

— Жак Эллюль. «Анархия и христианство» —

— Ну, Макензи, не стой разинув рот, как будто только что напрудил в штаны, — болтала без умолку негритянка, направляясь к двери. — Пошли поговорим, пока я готовлю ужин. Но если не хочешь, можешь заняться чем-нибудь другим. За домом, — она указала рукой, не глядя и не останавливаясь, — найдешь удочку рядом с лодочным сараем, наловишь форели.

Она остановилась у двери, чтобы поцеловать Иисуса.

— Только помни, — она обернулась, чтобы взглянуть на Мака, — тебе самому придется чистить то, что поймаешь.

Улыбнувшись, она исчезла в хижине, унося куртку Мака и все еще держа в вытянутой руке двумя пальцами пистолет.

Мак стоял на месте с выражением крайнего изумления на лице. Иисус подошел и положил руку ему на плечо. Сарайю вроде бы просто улетучилась.

— Ну разве она не великолепна! — воскликнул Иисус, улыбаясь Маку.

Мак с сомнением покачал головой.

— Я схожу с ума? Неужели я должен поверить, что Бог — это большая черная женщина с сомнительным чувством юмора?

Иисус засмеялся.

— Она разрушает стереотипы. С ней ты всегда можешь рассчитывать на пару неожиданных поворотов. Она обожает сюрпризы и, хотя ты, может быть, этого пока не заметил, обладает идеальным чувством времени.

— Правда? — произнес Мак, все еще сомневаясь. — И что же мне теперь полагается делать?

— Тебе ничего не полагается делать. Ты волен делать то, что тебе нравится. — Иисус помолчал, затем продолжил, стараясь помочь Маку с выбором: — Я вот плотничаю, Сарайю хлопочет в саду, ты можешь порыбачить, или покататься на каноэ, или же войти в дом и поговорить с Папой.

— Что ж, я чувствую себя обязанным войти и поговорить с ним, в смысле, с ней.

— О. — Теперь Иисус был серьезен. — Не делай этого, если чувствуешь себя обязанным. Здесь от этого никакой пользы. Иди только в том случае, если хочешь пойти.

Мак на секунду задумался и решил, что войти в хижину — это как раз то, чего он хочет. Он поблагодарил Иисуса, который отправился в свою мастерскую, а Мак поднялся на крыльцо и подошел к двери. Он снова был один, но, быстро оглядевшись по сторонам, осторожно приоткрыл дверь. Просунул внутрь голову, затем решился сделать шаг.

— Господь? — позвал он довольно робко, чувствуя себя, мягко говоря, полным идиотом.

— Я в кухне, Макензи. Просто иди на мой голос.

Он вошел и оглядел помещение. Неужели это та же самая хижина? В нем встрепенулись черные мысли, но он снова запер их в недрах разума. Заглянув из коридора в большую комнату, он поискал глазами пятно у очага, но ничто не марало деревянный пол. Он отметил, что комната обставлена со вкусом, украшена рисунками и поделками, которые производили впечатление детских работ. Мак подумал, неужели эта женщина дорожит всеми этими вещицами, как дорожат ими любящие родители? Может быть, именно так она ценит то, что подарено от души, легко, как обычно дарят дети.

Мак прошел по короткому коридору, слыша ее негромкое пение, и очутился в открытой кухне-столовой, где стоял небольшой стол на четверых и стулья с плетеными спинками. Внутри хижины было просторнее, чем он ожидал увидеть. Папа готовила, повернувшись к нему спиной, облачка муки взлетали, когда она притопывала под музыку, или что там она слушала. Песня, судя по всему, подошла к концу, обозначенному последней парой движений плеч и бедер. Повернувшись к нему лицом, Папа сняла наушники.

Маку хотелось задать тысячу вопросов, высказать тысячу мыслей, многие из них были невыразимыми и жуткими. Он был уверен, что его лицо выдает чувства, которые он силился скрыть, и он затолкал их в дальний чулан своего истерзанного сердца и запер за ними дверь. Если она знала о его внутреннем конфликте, то это никак не изменило выражения ее лица, по-прежнему открытого, полного жизни и доброжелательного.

Он спросил:

— Можно узнать, что ты слушаешь?

— А тебе правда интересно?

— Конечно.

— Стиль Вест-кост джюс. Группа называется «Диатрайб», а альбом, который еще не вышел,— «Путешествия души». На самом деле,— она подмигнула Маку,— эти ребята еще даже не родились.

— Ну конечно,— отозвался Мак, не слишком убежденный.— Вест-кост джюс, так? Звучит не слишком-то религиозно.

— О, поверь мне, вообще никакой религии. Больше смахивает на евразийский фанк и блюз с идеей и отличным ритмом.— Она шагнула вбок и повернулась к Маку, словно выполняя танцевальное движение, и хлопнула в ладоши. Мак попятился.

— Бог слушает фанк? — Мак ни разу не слышал, чтобы слово «фанк» сопровождалось какими-нибудь приличными эпитетами.— Мне казалось, ты станешь слушать Джорджа Беверли Ши* или «Хор мормонской церкви», ну, то есть что-то более религиозное.

— А теперь послушай, Макензи. Тебе не стоит решать за меня. Я слушаю все, и не только саму музыку, но и биение

---

* Исполнитель евангельских песен.

сердца за ней. Разве ты не помнишь своих занятий в семинарии? Эти парни не говорят ничего такого, чего я не слышала бы прежде, они просто полны энергии и огня. И еще злости, причем, должна признать, у них есть на это причины. Они просто мои дети, которые немножко рисуются и бурчат. Но, понимаешь, я особенно люблю этих мальчишек. Так что буду за ними приглядывать.

Мак пытался поспеть за ходом ее мыслей, найти хоть какой-то смысл в происходящем. Ничто из стародавней семинарской подготовки не помогало. Он внезапно растерял все слова, а терзавший его миллион вопросов словно испарился. Поэтому он высказал лишь очевидное.

— Ты, должно быть, знаешь,— начал он,— что называть тебя Папой мне несколько затруднительно.

— О, неужели? — Она поглядела на него насмешливо.— Разумеется, я знаю. Я всегда знаю.— Она хихикнула.— Но ответь, почему тебе трудно так меня называть? Потому что это прозвище слишком знакомо, или, может быть, потому, что я предстаю в образе женщины, матери, или же...

— Что тоже немалое потрясение,— перебил Мак, смущенно улыбаясь.

— Или, может быть, из-за промахов твоего собственного отца?

Мак невольно ахнул. Он не привык выставлять напоказ свои сокровенные тайны. В тот же миг чувство вины и злость воспрянули, и он захотел ответить резко. Маку казалось, что он болтается над бездонной пропастью. Он искал точку опоры, но преуспел в этом лишь частично, выдавив сквозь зубы:

— Может, потому, что у меня не было никого, кого я мог бы по-настоящему звать папой.

Женщина поставила на стол миску с тестом и, сунув в нее деревянную ложку, повернулась к Маку, глядя на него полными нежности глазами. Она понимала, что творится у него внутри, и почему-то он твердо знал, что она переживает за него больше, чем кто-либо.

— Если позволишь, Мак, я буду тем папой, которого у тебя никогда не было.

Предложение было одновременно заманчивое и отталкивающее. Ему всегда хотелось иметь отца, которому он мог бы доверять, но он сомневался, что нашел его здесь, тем более что этот отец даже не сумел защитить его Мисси. Повисло долгое молчание. Мак не знал, что сказать, а она не спешила развеять неловкость.

— Если ты не смогла позаботиться о Мисси, как же я могу верить, что ты позаботишься обо мне? — Вот, он задал наконец вопрос, который мучил его с первого дня Великой Скорби. Мак чувствовал, что его лицо вспыхнуло от злости, когда он смотрел на эту, как он считал, в высшей степени странную персонификацию Бога, и руки непроизвольно сжались в кулаки.

— Мак, мне так жаль.— Слезы покатились по ее щекам.— Я знаю, какая пропасть разверзлась между нами после этого события. Я знаю, что ты этого пока не понимаешь, но я особенно люблю Мисси и тебя тоже.

Ему понравилось, как она произнесла имя Мисси, однако он тут же возненавидел ее за то, что она вообще его произнесла. Но имя скатилось с ее губ, словно капля сладчайшего вина, и даже ярость, все еще бушевавшая в нем, не помешала понять, что она говорит правду. Ему хотелось верить, и гнев начал медленно отступать.

— Вот поэтому ты здесь, Мак,— продолжала она.— Я хочу исцелить рану, которая разрастается внутри тебя и разделяет нас.

Он молчал и смотрел в пол, пытаясь взять себя в руки. Прошла добрая минута, прежде чем он смог собраться настолько, чтобы прошептать в ответ, не поднимая глаз:

— Наверное, я не против, но только я не понимаю, каким образом...

— Золотой мой, нет простого ответа, который может избавить тебя от боли. Поверь, если бы он был, я бы ответила прямо сейчас. У меня нет волшебной палочки, которой взмахнешь, и все станет хорошо. Жизнь требует некоторого времени и многочисленных взаимоотношений.

Мак был рад, что она как будто пропустила мимо ушей его злобные обвинения. Его пугало теперь, как близок он был к приступу гнева.

— Мне кажется, вести этот разговор было бы легче, если бы не твое платье,— предположил он и попытался выдавить из себя улыбку, хотя и слабенькую.

— Если бы так было легче, можно было бы обойтись без платья,— ответила она, чуть усмехнувшись.— Я вовсе не пытаюсь ничего усложнять. Однако это как раз удачное начало. Я часто убеждаюсь, что если первым делом выбросить все из головы, то потом, когда ты готов, работать с сердцем гораздо легче.

Она снова взялась за деревянную ложку, с которой стекало жидкое тесто.

— Макензи, я не мужчина и не женщина, хотя оба пола проистекают из моей природы. Если я выбираю, явиться ли тебе мужчиной или женщиной, это потому, что я тебя люблю. Для меня явиться тебе женщиной и предложить звать меня Папой — просто смешанные метафоры, просто чтобы ты не скатился обратно к религиозным условностям.

Она подалась вперед, словно желая поделиться секретом.

— Появиться перед тобой в образе величественного старца с длинной бородой, как у Гэндальфа, означало бы укрепить в тебе религиозные стереотипы, а эти выходные будут посвящены вовсе не укреплению религиозных стереотипов.

Мак едва не засмеялся вслух, ему хотелось сказать: «Думаешь, стоит? Да я уже сейчас уверен, что рехнулся!» Однако он сумел сдержаться. Мак верил, по крайней мере догадывался, что Бог — это Дух, ни мужчина, ни женщина, но, несмотря на это, он в смущении признавался себе, что Бог всегда представлялся ему исключительно белым и исключительно мужского пола.

Она замолкла, но только для того, чтобы поставить на полочку у окна какие-то приправы, а затем пристально посмотрела на Мака.

— Ведь тебе всегда было сложно принимать меня в образе своего отца? И после всего, через что ты прошел, разве ты смог бы сейчас хорошо отнестись к отцу?

Он согласился, что она права, и оценил, сколько доброты и сострадания было в ее словах. Каким-то образом способ, каким она явилась ему, лишил его способности сопротивляться ее любви. Это было странно, это было больно и, может быть, это было немножечко волшебством.

— Но тогда, — он сделал паузу, все еще пытаясь рассуждать здраво, — почему делается такой упор на том, что ты Отец? Вроде бы считается, что именно в этом образе ты являлась чаще всего...

— Что ж, — ответила Папа, возвращаясь к готовке, — для этого существует множество причин, причем многие из них уходят корнями очень глубоко. Пока что будет довольно сказать, что мы всегда знали: однажды Творение будет разрушено и истинного отцовства будет не хватать гораздо сильнее, чем материнства. Пойми меня правильно: необходимо и то и другое, однако важность отцовства требуется подчеркивать по причине его катастрофического отсутствия.

Мак отвернулся, чувствуя, что ему вот так, сразу, не осмыслить услышанное.

— Ты ведь знала, что я приеду? — спросил он негромко.

— Разумеется, знала. — Она по-прежнему была занята и стояла к нему спиной.

— В таком случае был ли я волен не приезжать? Был ли у меня выбор?

Папа снова повернулась к нему лицом, ее руки были испачканы тестом и мукой.

— Хороший вопрос, но как далеко тебе хотелось бы зайти? — Она не ждала ответа, зная, что у Мака его нет. Вместо того она спросила: — Ты веришь, что волен уехать?

— Полагаю, что да. Это так?

— Конечно так! Мне не нужны пленники. Ты волен выйти в эту дверь хоть сейчас и отправиться к себе, в пустой дом. Или же пойти вместе с Вилли в «Мельницу». Даже если я знаю, что из любопытства ты приедешь, лишает ли тебя мое знание возможности уйти?

Она умолкла на мгновение, потом вновь занялась стряпней, говоря через плечо:

— Или же, если ты хочешь продвинуться хотя бы на йоту, мы можем поговорить о природе свободы как таковой. Означает ли свобода то, что ты можешь делать все, что хочешь? Или потолкуем обо всех ограничениях в твоей жизни, которые на самом деле лишают тебя свободы? О генетическом наследии твоей семьи, о твоей уникальной ДНК, об особенностях метаболизма, о всяких там квантах, которые выведут нас на надатомный уровень, где лишь я являюсь вечным наблюдателем? Или же обсудим такие темы, как вторжение в твою душу болезни, которая живет и сковывает тебя, влияние социума, окружающего тебя, привычки, которые порождают синаптические связи и прокладывают тропки в твоем разуме? А ведь есть еще реклама, пропаганда и парадигмы. Учитывая влияние всех этих факторов, всех этих влияний и ограничений,— вздохнула она,— что на самом деле есть свобода?

Мак в очередной раз не нашел что ответить.

— Только я могу тебя освободить, Макензи, но свободу нельзя навязать силой.

— Я не понимаю,— отозвался Мак.— Я даже не понимаю, что ты сейчас сказала.

Она улыбнулась.

— Я знаю. Я и не надеялась, что ты поймешь прямо сейчас. Я говорила на будущее. В данный момент ты не понимаешь даже, что свобода — это развивающийся процесс.— Она нежно взяла руку Мака в свои, испачканные мукой, и, глядя прямо в глаза, продолжила: — Макензи, Истина должна тебя освободить, и у Истины есть имя, он там, в мастерской, весь в опилках. Все это в нем. И свобода — это процесс, который протекает во взаимоотношениях с ним. Тогда все то, что бурлит у тебя внутри, начнет постепенно выходить наружу.

— Откуда ты можешь знать, что именно я чувствую? — спросил Мак.

Папа не ответила, только посмотрела на их руки. Он проследил за ее взглядом, и тут впервые заметил шрамы на ее запястьях — такие же, он понял, должны быть у Иисуса. Она позволила ему осторожно прикоснуться к шрамам, оставшимся от глубоких ран, а он поднял голову и посмотрел ей в глаза. Слезы медленно катились по ее лицу, оставляя дорожки в муке, которой были припудрены ее щеки.

— Ты ведь не думаешь, что то, что избрал для себя мой сын, ничего нам не стоило. Любовь всегда оставляет след, — сказала она тихо. — Мы же были там вместе.

Мак удивился:

— На кресте? Нет, погоди, мне казалось, ты его покинула, ну, ты же знаешь: «Мой Бог, мой Бог, почему Ты оставил меня?» — Это были те слова Писания, которые Мак часто повторял во время Великий Скорби.

— Ты не понял заключенной в этом тайны. Несмотря на то, что он чувствовал в тот момент, я никогда его не покидала.

— Как ты можешь так говорить? Ты покинула его точно так же, как покинула меня!

— Макензи, я никогда не покидала его и никогда не покидала тебя.

— Для меня во всем этом нет никакого смысла, — отрезал он.

— Я знаю, что нет. Во всяком случае, пока нет. Но хотя бы поразмысли вот о чем: если все, что ты видишь перед собой, одна лишь боль, может, она просто заслоняет меня?

Мак ничего не ответил, и она снова принялась месить тесто, словно предоставив ему необходимое для раздумий пространство. Она, кажется, готовила разом несколько блюд, добавляя различные ингредиенты. Мурлыча какую-то, вероятно привязавшуюся, мелодию, она завершила последние приготовления и собралась посадить в духовку пирог.

— Не забывай, история не закончилась на его ощущении покинутости. Он сумел отыскать путь, который привел его в мои объятия. О, что это был за миг!

Мак, несколько ошарашенный, привалился к кухонному столу. Его чувства и мысли представляли собой сплошной сумбур. Часть его существа желала поверить в то, что говорит Папа. Но другая часть довольно громко протестовала: «Это никак не может быть правдой!»

Папа взяла в руки кухонный таймер, чуть повернула ручку и поставила на стол перед ними.

— Я не то, что ты думаешь, Макензи.

Мак взглянул на нее, посмотрел на таймер и улыбнулся.

— Я чувствую себя совершенно потерянным.

— Что ж, давай попробуем отыскать тебя в этой неразберихе.

Словно подчиняясь какому-то знаку, на подоконник кухонного окна опустилась голубая сойка и принялась вышагивать взад-вперед. Папа протянула руку к жестяной коробке и, открыв окно, предложила мистеру Сойке попробовать зерен, которые держала на кухне явно для этой цели. Как будто преисполненная смирения и благодарности, птица, нисколько не колеблясь, подошла прямо к ее ладони и принялась клевать.

— Взглянуть, к примеру, на нашего маленького приятеля, — начала она. — Большинство птиц были созданы, чтобы летать. Оказаться взаперти для них означает ограничение способности к полету, а вовсе не иной способ существования. — Она помолчала, давая Маку возможность поразмыслить над ее словами. — Ты, со своей стороны, был создан быть любимым. Поэтому для тебя жить так, словно ты нелюбим, есть ограничение твоей способности, а не способ существования.

Мак кивнул, не в знак согласия, а просто чтобы показать: по крайней мере это он понял и следит за ходом мысли. Это утверждение показалось достаточно простым.

— Человек, живущий нелюбимым — все равно что птица, лишенная способности летать. Вовсе не то, что я хотела для тебя.

В этом и была неувязка. Он в данный момент не ощущал себя любимым.

— Мак, боль подрезает нам крылья и лишает способности летать. — Она выждала секунду, чтобы слова достигли цели. — И если она остается надолго, то ты можешь забыть, что был создан прежде всего для полета.

Мак молчал. Странно, но молчание нисколько его не тяготило. Он посмотрел на птицу. Птица в ответ посмотрела на него. Он задумался, может ли она улыбаться. Во всяком случае, вид у мистера Сойки был такой, словно он улыбается, причем даже сочувственно.

— Я не то, что ты, Мак.

Это не было хвастовством, это была констатация факта. Однако для Мака эти слова были словно ушат холодной воды.

— Я Бог. Я тот, кто я есть. И в отличие от твоих мои крылья нельзя подрезать.

— Что ж, тебе хорошо, но мне-то как быть? — спросил Мак более раздраженным тоном, чем собирался.

Папа принялась гладить птицу, поднеся к самому лицу, и сказала, прикасаясь носом к птичьему клюву:

— В самый эпицентр моей любви!

— Мне кажется, птица понимает это лучше меня,— вот и все, что сумел придумать в ответ Мак.

— Я знаю, милый. Вот потому-то ты здесь. Почему, как ты думаешь, я сказала: «Я не то, что ты»?

— Понятия не имею. То есть ты Бог, а я нет.— Он не сумел скрыть сарказм в голосе, но она не обратила на это ни малейшего внимания.

— Да, но не совсем так. Во всяком случае, не так, как ты думаешь. Макензи, я то, что некоторые назвали «святым и совершенно не таким, как мы». Проблема состоит в том, что многие пытаются понять мою сущность, представляя улучшенную версию самих себя, возводя это в энную степень, умножая на все добро, какое они могут представить, что зачастую совсем не так много, после чего называют все это Богом. И пусть их усилия кажутся достойными похвал, они все же очень далеки от понимания того, что я такое. Я не просто улучшенная версия тебя самого, каким ты себя представляешь. Я гораздо больше этого, выше и безграничнее всего, о чем ты можешь спросить или подумать.

— Прошу прощения, но все это только слова. Они не несут какого-то особенного смысла,— пожал плечами Мак.

— Даже если ты не сможешь понять меня до конца, знаешь что? Я все равно хочу, чтобы меня познавали.

— Ты говоришь об Иисусе? Это все на тему «попытайся понять суть Троицы»?

Она засмеялась.

— На тему, но только у нас не воскресная школа. Это урок по обучению летать. Макензи, как ты можешь догадаться, положение Бога дает некоторые преимущества. По природе я совершенно бесконечна и лишена ограничений. Я всегда сознаю все в полноте. Я живу в состоянии безграничного удовлетворения, и это мой нормальный способ существования.

Мак усмехнулся. Эта дама была явно довольна собой, однако в ее словах не было ни грана хвастовства, которое все бы испортило.

— Мы создали тебя, чтобы ты разделил с нами все это. Но потом Адам предпочел идти своим путем, а мы знали, что так будет, и все перемешалось. Вместо того чтобы писать Творение от начала до конца, мы засучили рукава и шагнули в самый центр неразберихи, вот что мы сделали через Иисуса.

Мак опешил от этого заявления, изо всех сил стараясь поспевать за ходом ее мысли.

— Когда мы трое проявили себя среди людей в качестве Сына Божьего, мы стали полностью человеком. Мы также решили принять все ограничения, какие это влекло за собой. И хотя мы и прежде присутствовали в этой сотворенной вселенной, теперь мы обрели плоть и кровь. Точно так же, как эта птица, в чьей природе заложена способность летать, решила бы только ходить и осталась бы на земле. Она бы не перестала быть птицей, однако это значительно изменило бы ее восприятие жизни.

Она помолчала, убеждаясь, что Мак все еще поспевает за ней. Мозги у него сводило судорогой, но он все равно отважно промямлил:

— И что?..

— Хотя по своей природе он полностью Бог, Иисус вполне человек и живет как человек. Не теряя ни на миг своей врожденной способности летать, он решил в тот момент ходить пешком по земле. Вот почему имя ему Иммануэль, Бог с нами или Бог с тобой, если уж точно.

— Ну а как же чудеса? Исцеления? Воскрешения из мертвых? Разве это не доказывает, что Иисус был Богом, ну, то есть больше чем человеком?

— Нет, это доказывает, что Иисус настоящий человек.

— Что?

— Макензи, я могу летать, а человек не может. Иисус полностью человек. Хотя при этом он также полностью Бог, он никогда не прибегал к своей божественной природе, чтобы сотворить что-то. Он только жил в тесной связи со мной, жил точно так, как, по моему замыслу, должно было жить всякое человеческое существо. Он просто первый, кто сумел исполнить это в полной мере, первый, кто абсолютно поверил в мое пребывание внутри его, первый, кто поверил в мою любовь и мою доброту, невзирая на внешние проявления и последствия.

— Значит, когда он исцелил слепого...

— Он сделал это как зависимое, ограниченное человеческое существо, поверившее, что моя жизнь и сила действуют внутри его и через него. Иисус, как человек, сам по себе не обладал силой, способной исцелить кого бы то ни было.

Мак был потрясен услышанным.

— Только до тех пор, пока он оставался в связи со мной и с нашим содружеством — нашим союзом, — он мог выражать мое сердце и волю при любых обстоятельствах. Так что когда ты смотришь на Иисуса и тебе кажется, что он летает, на самом деле он... летает. Только в действительности ты видишь меня, мою жизнь внутри его. Вот так он живет и поступает как настоящий человек, как должен жить и поступать каждый человек — через мою жизнь.

И птицу узнают не по ее способности ходить по земле, но по ее способности летать. Запомни это: люди определяются не по наложенным на них ограничениям, но по тому, какими я намеревалась их сделать, не по тому, чем они кажутся, а по всему, что предполагалось создать по моему образу и подобию.

Мак чувствовал, что такое количество информации его голова не способна вместить. Все это требовало времени для осмысления.

— Значит ли это, что ты была ограничена, пока Иисус ходил по земле? Я имею в виду, ограничивала ли ты себя ради Иисуса?

— Нисколько! Хотя я была ограничена в Иисусе, внутри себя я никогда не была ограничена.

— В идее Троицы я всегда путаюсь.

Папа рассмеялась звучным горловым смехом, от которого Маку тоже захотелось смеяться. Она поставила птицу на стол, отвернулась, чтобы открыть дверцу духовки и взглянуть на пирог. Довольная тем, что все в порядке, Папа придвинулась вместе со стулом ближе к Маку. А он смотрел на птицу, которая, как ни странно, довольствовалась тем, что находилась рядом с ними. Абсурдность этой сцены заставила Мака хмыкнуть.

— Надо сказать, это хорошо, что ты не можешь уловить чуда моей природы. Кто захотел бы поклоняться Богу, который был бы совершенно понятен, а? В этом нет никакой мистичности.

— Но какой смысл в том, что вас трое, раз вы все один Бог? Я правильно понимаю?

— Более или менее. Мы не три бога, и мы не говорим здесь об одном Боге в трех ролях, как человек, который разом отец, муж и работник. Я единый Бог, и я три личности, причем каждая из трех полностью и неделимо есть одно.

Ничего себе, а? Мак был окончательно сражен величием этой идеи.

— Ничего страшного,— продолжала Папа.— Важно следующее: если бы мы были просто один Бог и всего одна Личность, тогда ты жил бы среди этого Творения без чего-то удивительного, без чего-то даже основополагающего. И я была бы чем-то совершенно иным.

— И у нас не было бы...— Мак даже не знал, как закончить вопрос.

— Любви и привязанности. Всякая любовь и привязанность возможны для вас только потому, что они уже существуют во мне, в самом Боге. Любовь — это не ограничение, любовь — это полет. Я есть любовь.

Словно в ответ на ее заявление, таймер зазвенел, и птица снялась с места и вылетела в окно. Полет сойки вызвал у Мака совершенно неведомый восторг. Он повернулся к Папе и посмотрел на нее с восхищением. Ведь она была так прекрасна, и, хотя Великая Скорбь все еще не покинула его, он ощущал спокойствие и безопасность, находясь рядом с темнокожей женщиной.

— Ты ведь понимаешь,— продолжала она,— что если бы у меня не было объекта любви, точнее, кого-то, кого я люблю, если бы у меня не было подобных чувств, то я вообще была бы не способна любить? У вас был бы Бог, который не может любить. Или даже хуже, Бог, который, когда того пожелает, ограничивал бы любовь внутри себя. Такой Бог мог бы действовать без любви, и это было бы катастрофой. И это уж точно не я.

С этими словами Папа подошла к духовке, вынула свежеиспеченный пирог, поставила на стол и, повернувшись, словно представляя себя публике, объявила:

— Тот Бог, который есть... я тот, кто я есть, и не могу быть отделена от любви!

Мак понимал: то, что он слышит, как ни трудно это осмыслить, есть нечто поразительное и невероятное. Казалось, ее слова обволакивают, обнимают, говорят с ним каким-то иным способом, сверх того, что можно воспринять слухом. Ах, если бы он мог поверить ее речам! Если бы только все это было правдой! Его жизненный опыт утверждал обратное.

— Ближайшие выходные посвящены взаимоотношениям и любви. Теперь я знаю, ты о многом хочешь со мной поговорить, но сейчас тебе лучше пойти умыться. Остальные двое уже идут домой ужинать.

Она пошла из кухни, но остановилась и обернулась.

— Макензи, я знаю, что твоя душа полна боли, злости и смятения. Вместе, ты и я, мы сумеем как-нибудь тебе помочь, пока ты здесь. Однако я хочу, чтобы ты также знал: во всем этом заключено гораздо больше, чем ты можешь представить или понять, даже если я тебе объясню. Всеми силами сохрани веру в меня, пусть совсем крохотную, какая в тебе еще осталась, ладно?

Мак опустил голову и уставился в пол. «Она знает», — подумал он. Крохотную? Эта «крохотная», должно быть, уже почти ничего. Кивнув, он поднял глаза и снова заметил шрамы на ее запястьях.

— Папа?

— Да, милый?

Мак силился подыскать слова, чтобы выразить ей то, что было у него на душе.

— Мне так жаль, что тебе... что Иисусу пришлось умереть.

Она обошла вокруг стола и крепко обняла Мака.

— Я знаю, что ты чувствуешь, и благодарю тебя. Но ты должен знать, что мы нисколько об этом не жалеем. Дело того стоило. Разве не так, сынок?

Она повернулась к Иисусу, который только что вошел в хижину.

— Совершенно верно! — Он помолчал, а затем взглянул на Мака. — Я сделал бы это, даже если бы делал для тебя одного!

Мак извинился и вышел в ванную, где вымыл руки и лицо, а затем попытался собраться с мыслями.

Глава 7

Бог на причале

*Будем молиться, чтобы человеческая раса
никогда не покинула Землю, распространяя
свое зло повсеместно.*
— К. С. Льюис —

Мак стоял в ванной, глядя в зеркало, и вытирал лицо полотенцем. Он искал признаки безумия в глазах отражения. На самом ли деле это происходит? Нет, конечно, такое невозможно. Но тогда... он протянул руку и медленно провел по зеркалу. Может быть, все это галлюцинация, вызванная его горем и отчаянием? Может быть, он просто спит где-то, может быть, в той же самой хижине, замерзая насмерть? Может... Неожиданно жуткий грохот донесся со стороны кухни. Мак замер. Мгновение висела тишина, а затем он услышал громогласный хохот. Заинтригованный, он вышел из ванной и остановился на пороге кухни.

Мак был шокирован открывшейся ему сценой. Судя по всему, Иисус уронил на пол большую миску с жидким тестом или соусом, который был теперь повсюду. Должно быть, миска приземлилась рядом с Папой, поскольку подол ее юбки снизу и босые ноги были покрыты тягучей жижей. Все трое хохотали так, что Мак изумился, как они не задохнутся. Сарайю сказала что-то по поводу неуклюжести людей, и все трое снова зашлись смехом. Наконец Иисус проскользнул мимо Мака и спустя минуту вернулся с большим тазом воды и тряпками. Сарайю уже начала вытирать пол и столы, а Иисус подошел к Папе и, опустившись на колени, принялся отчищать ее одежду. Он дошел и до ног, деликатно заставив ее опустить ступни по очереди в таз, где принялся мыть и массировать их.

— О-о-о, как хорошо-о-о! — восклицала Папа, продолжая готовить что-то на столе.

Пока Мак наблюдал все это, привалившись к дверному косяку, у него в голове теснились мысли. Так вот, значит, какие взаимоотношения внутри Бога? Это было прекрасно и совершенно ошеломительно. Он понимал: неважно, кто здесь виноват, хотя содержимое миски разлито и кушанье никому не достанется. Совершенно очевидно, что важна здесь только любовь, которую они испытывают друг к другу, и полнота ощущений, которую дает им эта любовь. Он покачал головой. Насколько это отличается от его обращения с теми, кого он любит!

Ужин был простой, но по-настоящему праздничный. Жареная птица неведомой породы в апельсиново-манговом соусе. Свежие овощи, сочные и пикантные. Рис, какого Мак никогда не пробовал раньше, мог бы и сам по себе составить целую трапезу. Самый неловкий момент был вначале, когда Мак по привычке склонил голову, склонил раньше, чем вспомнил, где находится. Он поднял глаза и увидел, что все трое улыбаются ему. Тогда он как можно беспечнее произнес:

— Э, благодарю всех вас... можно мне немного риса?

— Конечно. У нас был бы еще и потрясающий японский соус к рису, если бы вон тот ловкач с намасленными руками, — Папа кивнула на Иисуса, — не решил посмотреть, хорошо ли он будет прыгать вместе с миской.

— Ну ладно тебе, — отозвался Иисус, шутливо защищаясь. — Да, у меня были скользкие ладони. Что еще я могу сказать?

Папа подмигнула Маку, передавая ему рис.

— Да, помощи тут ни от кого не дождешься.

Все засмеялись.

Разговор казался почти обыденным. Мака расспрашивали о детях, за исключением Мисси. Когда он заговорил о том, что его беспокоит Кейт, все трое покивали с озабоченными лицами, но не последовало ни слова наставления или совета. Также ему пришлось отвечать на вопросы о друзьях, и Сарайю, кажется, особенно заинтересовала Нэн. В итоге Мак высказал то, что волновало его на протяжении всего разговора.

— Вот сейчас я рассказываю о своих детях, о друзьях, о Нэн, но вы же о них все знаете. А ведете себя так, словно слышите в первый раз.

Сарайю перегнулась через стол и взяла его за руку.

— Макензи, помнишь наш разговор об ограничениях?

— Наш разговор? — Он взглянул на Папу, которая понимающе кивнула.

— Невозможно рассказать что-то одному из нас, не рассказав всем остальным,— произнесла Сарайю.— Помнишь, что решение ходить по земле — это выбор, призванный сделать взаимоотношения более тесными, уважать их. Ты ведь и сам так поступаешь. Ты же играешь с детьми или раскрашиваешь им картинку не для того, чтобы выказать свое превосходство. Напротив, ты сознательно ограничиваешь себя, чтобы упрочить и уважить ваши взаимоотношения. Ты даже способен проиграть в каком-нибудь состязании, чтобы проявить любовь. Ведь главное здесь не победа или поражение, а любовь и уважение.

— Значит, когда я рассказываю вам о своих детях...

— Мы ограничиваем себя из уважения к тебе. Мы не вспоминаем, хотя могли бы, того, что знаем о твоих детях. И когда мы слушаем тебя, мы все узнаем как будто в первый раз, и нам доставляет настоящее наслаждение видеть их твоими глазами.

— Это мне нравится,— сказал Мак, откидываясь на спинку стула.

Сарайю снова пожала ему руку.

— И мне! Истинные взаимоотношения никогда не строятся на власти, и один из способов избежать желания властвовать — это сознательно ограничить себя и служить. Люди часто так делают: ухаживают за слабыми и больными, помогают тем, чей разум склонен блуждать, заботятся о бедных, любят очень старых и очень юных и даже пекутся о тех, кто когда-то проявлял свою власть над ними.

— Отлично сказано, Сарайю! — Лицо Папы сияло от гордости.— Посудой займемся после. А теперь мне хотелось бы посвятить время молитве.

Маку пришлось подавить усмешку при мысли о том, что Бог будет молиться. Сцены семейных молитв из детства пришли ему на ум — не слишком радостные воспоминания. Чаще всего это было утомительное и скучное времяпрепровождение, когда полагалось повторять одни и те же ответы на вопросы к историям из Библии, а потом стараться не заснуть во время мучительно долгих молитв отца. И когда отец напивался, семейные моления превращались в прогулки по минному полю, любой неверный ответ или неосторожный взгляд мог вызвать взрыв. Мак почти был готов к тому, что Иисус сейчас достанет огромную старую Библию короля Якова.

Но Иисус не сделал этого, он просто взял руки Папы в свои. Шрамы на запястьях теперь были отчетливо видны. Мак сидел завороженный, наблюдая, как Иисус целует руки своего отца, затем заглядывает Папе в глаза и наконец произносит:

— Папа, я был рад видеть тебя сегодня, ведь ты была совершенно готова принять в себя боль Мака, но предоставила ему возможность самому выбрать подходящее время. Ты оказала ему уважение и оказала уважение мне. Слушать, как ты нашептываешь слова любви и утешения прямо ему в сердце, поистине непредставимо. Какая радость видеть тебя! Я счастлив быть твоим сыном.

Хотя Мак чувствовал себя так, словно он здесь лишний, никто вроде бы об этом и не беспокоился. Помимо прочего, он все равно не знал, куда ему пойти. Быть свидетелем проявления подобной любви, снимающей все внутренние запреты, было прекрасно, хотя он еще не вполне понимал, что ощущает на самом деле. Что же он видел? Нечто простое, теплое, интимное, искреннее, нечто действительно священное. Святость всегда была для Мака холодным и выхолощенным понятием, но только не такая. Опасаясь, что любое движение с его стороны может нарушить настроение момента, он закрыл глаза и сложил руки перед собой. И вскоре услышал, как Иисус отодвинул свой стул. Последовала пауза, прежде чем он заговорил.

— Сарайю,— произнес Иисус мягко и нежно,— ты моешь, я вытираю.

Мак открыл глаза как раз в тот момент, когда эти двое забрали тарелки и исчезли в кухне. Он несколько минут посидел на месте, не зная, что ему делать дальше. Папа ушла куда-то, остальные двое занимались посудой... что ж, решение возникло само собой. Он собрал приборы и стаканы и направился в кухню. Как только он сгрузил все принесенное перед Сарайю, Иисус кинул ему полотенце и они оба принялись вытирать вымытую посуду.

Сарайю начала вполголоса напевать ту же мелодию, которую он уже слышал от Папы. Эта мелодия глубоко задевала что-то в душе Мака, в ней слышалось нечто кельтское, он почти различал в аккомпанементе звуки волынок. И как ни было трудно ему позволить чувствам выплеснуться, мелодия совершенно захватила его. Слушая ее, он готов был вытирать тарелки до конца своей жизни.

Минут через десять они закончили с посудой, Иисус поцеловал Сарайю в щеку, и она исчезла в коридоре. Затем он повернулся к Маку:

— Пойдем на причал, посмотрим на звезды.

— А остальные? — спросил Мак.

— Я здесь,— ответил Иисус,— я всегда здесь.

Мак кивнул. Вечное божественное присутствие, кажется, постепенно проникало, минуя разум, прямо в его душу. Он позволил ему проникать и дальше.

— Пошли,— сказал Иисус, прерывая размышления Мака.— Я же знаю, ты любишь смотреть на звезды! Хочешь? — Он говорил прямо как сгорающий от нетерпения и предвкушения ребенок.

— Да, кажется, хочу,— ответил Мак, сознавая, что в последний раз смотрел на звезды в ту роковую поездку вместе с детьми. Наверное, пришло время рискнуть еще раз.

Он вслед за Иисусом вышел через заднюю дверь. В неверном свете сумерек Мак различил скалистый берег озера, не заросший, каким он его помнил, а прекрасно ухоженный и прибранный. Примерно на пятьдесят футов в озеро вдавался причал, и Мак разглядел три каноэ, привязанные через равные промежутки. Ночь опускалась быстро, тьма вдалеке уже совсем сгустилась, наполненная стрекотанием кузнечиков и пением лягушек. Иисус взял его за руку и повел по тропинке, вероятно опасаясь, что глаза Мака еще не привыкли к темноте, но Мак уже вовсю смотрел в ночное небо и восхищался звездами.

Они прошли по причалу и улеглись, глядя в небо. Высокое положение над уровнем моря как будто придавало величия небесам, и Мак поразился, видя звезды в таком количестве и такие ясные. Иисус предложил ему на несколько минут закрыть глаза, дождаться, пока последние отсветы сумерек поглотит ночная тьма. Мак послушался, и когда размежил веки, зрелище было настолько потрясающее, что закружилась голова. Ему показалось, будто он падает в космическое пространство и звезды устремляются к нему, словно желая обнять. Он вскинул руки, представляя, как срывает эти бриллианты, один за другим, с бархатного небосклона.

— Ух ты! — прошептал он.

— Невероятно! — тоже шепотом отозвался Иисус.— Мне никогда не наскучивает этот вид.

— Несмотря на то что ты сам его создал? — уточнил Мак.

— Я создал это как Слово, до того как Слово обрело плоть. И хотя я создал это, я вижу все сейчас глазами человека. И, должен признать, зрелище впечатляющее!

— Это верно.— Мак не знал, какое слово может в точности выразить то, что он чувствует.

Они продолжали лежать в молчании, глядя с благоговейным восторгом на ночное небо. Падающие звезды время от времени мелькали на фоне черного небосвода, заставляя то одного, то другого восклицать:

— А эту видел? Красотища!

После одной особенно долгой паузы Мак заговорил.

— С тобой я чувствую себя непринужденнее. Ты кажешься непохожим на тех двоих.

— В каком смысле «непохожим»? — прозвучал в темноте мягкий голос.

— Ну,— Мак помолчал, размышляя.— Более настоящим, что ли... осязаемым. Не знаю.— Он с трудом подбирал слова, а Иисус молча лежал, слушая.— Такое впечатление, будто тебя я знаю всю жизнь. А вот Папа вовсе не то, что я ожидал от Бога, и Сарайю, она вообще не отсюда.

Иисус усмехнулся в темноте.

— Поскольку я человек, у нас много общего.

— Но я по-прежнему не понимаю...

— Я — наилучший способ, каким любой смертный может связаться с Папой или Сарайю. Видеть меня — видеть их. Любовь, которую ты ощущаешь и которая исходит от меня, ничем не отличается от той, какую они проявляют к тебе. И поверь мне, Папа и Сарайю такие же настоящие, как и я, хотя, как ты заметил, они совершенно другие.

— Кстати, о Сарайю. Она и есть Святой Дух?

— Да. Она Созидание, она Действие, она Дыхание Жизни и многое другое. Она мой Дух.

— А ее имя, Сарайю?

— Это просто слово из одного из человеческих языков. Оно означает «ветер», причем самый обыкновенный ветер. Ей нравится это имя.

— Гмм,— отозвался Мак.— Но уж в ней-то нет ничего обыкновенного!

— Это верно,— согласился Иисус.

— И еще имя, которое называла Папа... Эло... Эл...

— Элозия.— В голосе, звучавшем в темноте рядом с ним, слышалось почтение.— Это удивительное имя. «Эл» мое имя как Созидающего Бога, а «озия» означает «существо» или же «то, что является настоящим», поэтому полностью имя значит «Созидающий Бог, который является настоящим и служит источником всего сущего». Тоже прекрасное имя.

Последовало минутное молчание, пока Мак размышлял над тем, что сказал Иисус.

— И куда же в таком случае попадаем мы? — Мак испытывал такое чувство, будто задает этот вопрос от лица всего человечества.

— Ровно туда, где должны были находиться с самого начала. В самый центр нашей любви и наших чаяний.

Снова повисла пауза, а за ней:

— Кажется, этого мне хватит для жизни.

Иисус усмехнулся.

— Я рад это слышать,— после чего они оба засмеялись.

На этот раз никто ничего не говорил. Тишина опустилась, словно одеяло, и все, что слышал теперь Мак,— биение воды о причал. Но молчание снова нарушил он:

— Иисус?

— Да, Макензи?

— Меня в тебе кое-что удивляет.

— В самом деле? И что же?

— Наверное, я ожидал, что ты будешь более... Ну, с точки зрения простого человека, более впечатляющим.

Иисус хмыкнул:

— Впечатляющим? Ты хочешь сказать, красивым?

— Ну, я пытался сказать иначе. Я почему-то думал, что ты должен быть идеальным человеком, ну, ты понимаешь, атлетического телосложения, поразительной красоты и прочее.

— Все дело в моем носе, да?

Мак не знал, что ответить.

Иисус смеялся.

— Я же еврей, ты ведь помнишь. У моего деда по материнской линии был огромный нос. У большинства мужчин по материнской линии были большие носы.

— Я думал, что ты более красивый.

— По чьим стандартам? Между прочим, когда ты по-настоящему меня узнаешь, это будет тебе совершенно безразлично.

Слова, хотя и сказанные добродушным тоном, обжигали. Действительно обжигали, но почему? Мак несколько секунд лежал, соображая: может быть, он знает Иисуса... не по-настоящему? Может, то, что он знал, было просто иконой, идеалом, образом, через который он пытался постичь смысл духовности, но не настоящего человека.

— Почему так? — спросил он.— Ты сказал, что если бы я знал тебя по-настоящему, то не имело бы значения, как ты выглядишь...

— Это очень просто. Существо всегда выходит за рамки внешности, за рамки того, что только кажется им. И как только ты начинаешь познавать существо за пределами его приятного или же некрасивого лица, как это тебе свойственно по природе, внешность начинает блекнуть и блекнет до тех пор, пока окончательно не потеряет значения. Вот почему Элозия такое чудесное имя. Бог, который есть источник всего сущего, обитает внутри, вокруг и пронизывает насквозь, неизбежно проявляясь реальностью, и любая внешняя оболочка, которая прикрывает реальность, спадает.

Иисус замолчал. Мак некоторое время обдумывал слова, сказанные им. Через пару минут он решился задать еще один рискованный вопрос:

— Ты сказал, я не знаю тебя по-настоящему. Но было бы гораздо проще узнать, если бы мы всегда могли побеседовать вот так.

— Надо признать, Мак, что ситуация необычная. Ты действительно увяз, и мы захотели помочь тебе избавиться от боли. Но не думай, что лишь по причине моей невидимости наши отношения делаются менее настоящими. Они делаются другими, но, может быть, даже более настоящими.

— Это как?

— С самого начала моей целью было, чтобы я пребывал в тебе, а ты — во мне.

— Стой, стой. Погоди минутку. Как такое возможно? Если ты все еще полностью человек, как ты можешь пребывать во мне?

— Потрясающе, правда? Это чудо Папы. Это сила Сарайю, моего Духа, Духа Господа, который возрождает давным-давно разорванный союз. А я? Я предпочел жить изо дня в день настоящим человеком. Я полностью Бог, но по сути я человек. Как я сказал, это чудо Папы.

Мак напряженно слушал.

— Ты ведь говоришь о настоящем пребывании, а не о чем-то абстрактном, теологическом?

— Ну конечно,— ответил Иисус голосом звучным и уверенным.— Ради этого все и затевалось. Человек, сформированный из физической материи, сможет снова наполниться духовной жизнью, моей жизнью. Это требуется для того, чтобы возник в высшей степени настоящий развивающийся и активный союз.

— Но это невероятно! — негромко воскликнул Мак. — Я ничего не понимаю. Я должен подумать над этим. Однако у меня могут возникнуть новые вопросы.

— И у тебя еще целая жизнь, чтобы получить на них ответы,— засмеялся Иисус.— Но хватит пока об этом. Давай снова затеряемся в звездной ночи.

В наступившем затем молчании Мак просто лежал неподвижно, позволяя безграничному пространству и рассеянному свету поглотить себя, позволяя своим чувствам сдаться в плен звездам и стараясь думать только о том, что все это для него... для человечества... все это для нас. После, как показалось, долгой паузы молчание нарушил Иисус.

— Мне никогда не надоедает смотреть на все это. Расточительность Творения, как назвал это один наш собрат. Какое изящество, сколько томления и красоты даже теперь.

— Знаешь,— отозвался Мак, он в очередной раз как бы очнулся и был поражен нелепостью ситуации: где он, кто этот человек рядом? — иногда ты говоришь так, то есть, я хочу сказать, я вот сейчас лежу рядом со Всемогущим Господом, а ты на самом деле говоришь словно...

— Словно человек? — предположил Иисус.— Только некрасивый.

И он засмеялся, сначала негромко, но вскоре смех буквально хлынул из него. Смех был заразителен, и Мак вдруг осознал, что тоже смеется, откуда-то из глубины своего существа. Он уже давно не смеялся так. Иисус придвинулся к нему и обнял, сотрясая своими приступами веселья, и

Мак ощутил себя более чистым, живым и здоровым, чем когда-либо с тех пор... он даже вспомнить не смог, с каких пор.

Постепенно оба успокоились, и снова установилась тишина. Казалось, что даже лягушки притихли. Мак теперь испытывал чувство вины за то, что веселился, смеялся, и на него снова накатывала, захлестывала его Великая Скорбь.

— Иисус? — прошептал он.— Я чувствую себя таким потерянным.

Рука протянулась и пожала его руку и не отпустила.

— Я знаю, Мак. Но это не так. Я с тобой. Мне жаль, что ты испытываешь такое чувство, но слушай меня внимательно. Ты не потерян.

— Надеюсь, что ты прав,— сказал Мак, его напряжение рассеялось от слов только что обретенного друга.

— Идем,— сказал Иисус, поднимаясь.— У тебя впереди большой день. Тебе пора в постель.

Он обхватил Мака за плечи, и они пошли обратно к хижине. Мак внезапно ощутил смертельную усталость. День выдался такой длинный. Может быть, после ночи сновидений он проснется у себя дома, в своей постели? Но в глубине души он надеялся, что этого не произойдет.

Глава 8

Завтрак чемпионов

*Рост означает перемены,
а перемены сопряжены с риском,
переходом от известного к неизвестному.*

— Автор неизвестен —

Добравшись до отведенной ему комнаты, Мак обнаружил, что все его пожитки, которые он оставил в машине, сложены на комод, а одежда повешена в открытый шкаф. На ночном столике лежала Гидеоновская Библия. Он широко распахнул окно, впуская поток ночного воздуха, чего Нэн не позволяла делать дома, опасаясь пауков и всего остального ползучего и с проворными лапками. Уютно свернувшись, словно ребенок, под тяжелым одеялом, он успел прочесть лишь несколько строк, прежде чем Библия исчезла из его руки, свет почему-то погас, кто-то поцеловал его в щеку, и он легко оторвался от земли и полетел во сне.

Те, кто никогда не летал таким вот образом, могут счесть это ненормальным, но в глубине души они, судя по всему, испытывают легкую зависть. Он не летал во сне уже много лет, с тех пор, как явилась Великая Скорбь, но в ту ночь Мак высоко парил в звездном небе, воздух был прохладный и чистый, и довольно приятный. Он промчался над озерами и реками, пересек побережье океана и бесчисленное множество обрамленных рифами островов.

Как ни странно это звучит, но летать Мак научился тоже во сне — отрываться от земли без всякой поддержки, без крыльев, без какого-либо летательного аппарата, просто сам по себе. Первые полеты он совершал на высоте несколько дюймов, главным образом из-за опасности, или, если точнее, из-за страха падения. По мере того как высота полета возросла до фута, затем до двух и выше, так же росла его уверенность в себе. Вдобавок он обнаружил, что падение — это совсем не больно, это просто замедленный прыжок. Со временем он научился опускаться на облака, покрывать огромные расстояния и изящно приземляться.

Пока он по собственному желанию парил над зазубренными горами и хрустальными береговыми линиями морей, охваченный давно забытым восторгом полета во сне, что-то внезапно схватило его за лодыжку и дернуло вниз. В считаные секунды он был спущен с небес и грубо ткнут лицом в глубокую колею грязной дороги. Раскат грома сотряс землю, и дождь мгновенно промочил его до нитки. И тут оно возникло снова, освещенное молнией, лицо его дочери, которая беззвучно прокричала «папа!», а затем повернулась, чтобы убежать в темноту; ее красный сарафан был виден всего несколько мгновений, после чего исчез. Он напрягал все силы, чтобы выбраться из грязной жижи, но в результате увязал еще глубже. И когда его уже затягивало с головой, он, вскрикнув, проснулся.

Сердце бешено колотилось, перед мысленным взором стояли кошмарные видения, и Маку потребовалось несколько секунд, чтобы осознать, что это был всего лишь сон. Но даже когда сон померк в его сознании, переживания не ушли вместе с ним. Сон спровоцировал Великую Скорбь, и не успел Мак встать с постели, как ему уже снова надо было бороться с отчаянием, пожравшим столько дней его жизни.

Поморщившись, он оглядел комнату — тусклый серый свет утра просачивался сквозь оконные ставни. Это была не его спальня, все здесь выглядело незнакомым. Где это он? Думай, Мак, думай! Потом он вспомнил. Он все еще в хижине с тремя любопытными персонажами, каждый из которых уверен, что все они — Бог.

— Этого не может быть,— простонал Мак, спустил ноги с кровати и обхватил голову руками.

Он вспомнил весь предыдущий день и снова испугался, что сходит с ума. Мак никогда не был особенно импульсивным, поэтому Папа, кем бы она ни была, заставляла его нервничать, и он понятия не имел, что думать о Сарайю. Он признался самому себе, что ему очень понравился Иисус, однако из всех троих он меньше остальных походил на Бога.

Мак долго и тяжко вздохнул. Если Бог действительно здесь, почему же он не избавил его от ночного кошмара?

Сидеть в недоумении, решил Мак, бесполезно. Поэтому он дошел до ванной, где, к его изумлению, все, что требовалось для душа, было аккуратно разложено на полочке. Он понежился под теплыми струями, неспешно побрился и, вернувшись в спальню, столь же неспешно оделся.

Головокружительный аромат кофе привлек его внимание к дымящейся на краю стола чашке. Отхлебнув глоток, он открыл ставни и постоял, глядя из окна спальни на озеро, которое накануне вечером успел увидеть лишь мельком.

Оно было прекрасно, гладкое, как стекло, если не считать всплесков форелей, время от времени выныривавших за своим завтраком, от которых по голубой поверхности расходились круги миниатюрных волн, покуда не угасали медленно, поглощенные большим пространством. Он прикинул, что дальний берег находится примерно в полумиле. Повсюду сверкали капли росы, бриллиантовые слезы раннего утра, в которых отражалась любовь солнца.

Три каноэ лениво покачивались у причала, словно приглашая, однако с некоторых пор катание на каноэ не доставляло ему удовольствия. Слишком много печальных воспоминаний оно вызывало.

Причал напомнил ему о вчерашнем вечере. Неужели он действительно лежал здесь вместе с тем, кто создал вселенную? Мак покачал головой, ничего не понимая. Что происходит? Кто они такие на самом деле и что им нужно от него?

В комнату вполз запах яичницы с беконом, смешанный с какими-то другими запахами, и прервал ход его размышлений. Мак решил, что самое время пойти и поинтересоваться насчет завтрака. Войдя в большую комнату, он услышал знакомую мелодию Брюса Кокберна, доносящуюся из кухни. Песню высоким голосом неплохо исполняла негритянка: «Та любовь, что зажигает солнце, заставляет пылать и меня». Папа появилась с тарелками в обеих руках, полными блинчиков, жареной картошки и каких-то овощей. Она была одета в длинный балахон в африканском стиле, дополненный разноцветной легкой повязкой на голове. Она вся сияла, почти светилась.

— Ты знаешь,— воскликнула она,— я особенно люблю песни этого Брюса.

Она поглядела на Мака, который сел за стол.

Мак кивнул, его аппетит разгорался с каждой секундой.

— Да,— продолжала она,— и я знаю, что ты тоже его любишь.

Мак улыбнулся. Это была правда. Кокберн многие годы был любимцем всей его семьи.

— Итак, милый,— сказала Папа, продолжая хлопотать у стола,— что тебе снилось ночью? Сны, как тебе известно, иногда имеют большое значение. Они помогают открыть окно и выпустить нездоровый воздух наружу.

Мак понял, что это приглашение отпереть дверь, за которой таились его страхи, однако в данный момент не был готов пригласить ее в эту темную дыру.

— Я спал прекрасно, спасибо,— ответил он, после чего быстро сменил тему.— Он твой любимец? Я имею в виду Брюса.

Она замерла и посмотрела на него.

— Макензи, у меня нет любимцев, я просто особенно его люблю.

— Ты, кажется, особенно любишь тьму народу,— заметил Мак, глядя на нее с подозрением.— А есть кто-нибудь, кого бы ты не особенно любила?

Она подняла голову и закатила глаза, словно мысленно пролистывая списки всего, что было когда-либо создано.

— Нет, никого не могу найти. Наверное, это потому, что я такая, какая есть.

Мак был заинтригован.

— А ты когда-нибудь сердишься на кого-нибудь из них?

— Вот уж спросил! А кто из родителей не сердится? Есть от чего выйти из себя, глядя на то безобразие, какое учиняют мои дети, и то безобразие, в каком они живут. Мне в большинстве случаев не нравятся принимаемые ими решения, однако мой гнев все равно есть проявление любви. Я люблю тех, на кого сержусь, так же сильно, как и тех, на кого не сержусь.

— Но как же твой гнев? Мне казалось, если ты хочешь считаться Господом Всемогущим, тебе необходимо быть злее.

— Сейчас я злая?

— Вот об этом я и думаю. Разве в Библии ты не носишься повсюду, убивая людей? Ты совершенно не соответствуешь представлениям о тебе.

— Я понимаю, как, должно быть, все это сбивает тебя с толку. Но если здесь кто-то притворяется, то это ты. Я тот, кто я есть. И я не собираюсь соответствовать чьим-то представлениям.

— Но ты хочешь, чтобы я поверил, что ты Бог, а я просто не вижу...— Мак не знал, как ему завершить фразу, поэтому замолчал.

— Я не прошу тебя ничему верить, я только хочу сказать, что этот день показался бы тебе гораздо милее, если бы ты просто принял то, что есть, вместо того чтобы пытаться подогнать действительность под какие-то свои предвзятые убеждения.

— Но если ты Бог, разве это не ты выливала целые ушаты гнева, швыряла людей в огненное озеро? — Мак почувствовал, как растет его злость, выталкивая новые вопросы, и несколько расстроился от недостатка самообладания. Но все равно спросил: — Если честно, разве тебе не доставляет удовольствия наказывать тех, кто тебя разочаровал?

При этих словах Папа бросила свою работу и обернулась к Маку. Он увидел в ее глазах глубокую грусть.

— Я не то, что ты обо мне думаешь, Макензи. Мне нет необходимости наказывать людей за грехи. Грех уже сам по себе наказание, пожирающее тебя изнутри. И моя цель не в том, чтобы наказать за него, моя радость — исцелить от него.

— Я не понимаю...

— Ты прав. Ты не понимаешь,— произнесла она с улыбкой, за которой по-прежнему скрывалась грусть.— Но повторю снова, мы еще не закончили.

В этот момент появились Иисус и Сарайю, они смеялись, поглощенные разговором друг с другом. Иисус был одет так же, как и накануне, джинсы и светло-голубая рубашка, застегнутая на все пуговицы, цвет которой подчеркивал его темно-карие глаза. Сарайю же была облачена во что-то такое тонкое и кружевное, что оно буквально колыхалось от легчайшего движения или даже произнесенного слова. Радужные узоры переливались и меняли форму от каждого жеста. Мак подумал, замирает ли она когда-нибудь хоть на миг.

Папа склонилась к Маку, заглядывая ему в глаза.

— Ты поднял очень важные вопросы, и мы еще вернемся к ним, обещаю. Ну а пока насладимся все вместе завтраком.

Мак кивнул и сосредоточил внимание на пище. Несмотря ни на что, он был голоден, а еды было в изобилии.

— Благодарю тебя за завтрак,— сказал он Папе, пока Сарайю и Иисус занимали свои места.

— Что? — переспросила она в насмешливом ужасе.— Ты даже не собираешься склонить голову и закрыть глаза? — Она направилась в кухню, бормоча на ходу: — И куда только катится мир? На здоровье, милый.— Она махнула рукой через плечо.

Вернулась она через секунду с очередной дымящейся миской, от которой исходил изумительный запах.

Они передавали друг другу тарелки, и Мак был зачарован, наблюдая и слушая, как Папа участвует в разговоре Иисуса и Сарайю. Разговор касался примирения какого-то враждующего семейства, но Мака захватило не то, что они говорили, а как они при этом себя вели. Он никогда еще не видел, чтобы три человека были так просты и прекрасны. Каждый явно заботился о других больше, чем о себе.

— А ты что скажешь, Мак? — спросил Иисус.

— Я понятия не имею, о чем вы говорите,— заявил Мак с набитым ртом.— Но мне нравится, как вы это делаете.

— Ого,— произнесла Папа, которая вернулась из кухни с очередным блюдом.— Поосторожнее с этими овощами, молодой человек. Если не проявишь благоразумия, они заставят тебя побегать.

— Хорошо,— сказал Мак.— Постараюсь не забыть,— и он потянулся к принесенному ею блюду. Затем, обернувшись к Иисусу, прибавил: — Мне нравится, как вы общаетесь друг с другом. Это совершенно не соответствует моим представлениям о Боге.

— Что ты имеешь в виду?

— Ну, я знаю, что вы одно и все вместе и что вас трое. Но вы так заботливы, так предупредительны. Разве один из вас не главнее остальных двоих?

Все трое переглянулись, словно никогда не задумывались об этом.

— Я имею в виду,— продолжал Мак,— я всегда считал, что Бог-Отец в некотором роде босс, Иисус подчиняется ему, исполняет приказы. Не знаю точно, чем занимается Святой Дух. Он... в смысле, она... э...— Мак старался не смотреть на Сарайю и путался в словах,— ...ну, Дух всегда представлялся мне неким... э...

— Вольным Духом? — предположила Папа.

— Именно, вольным Духом, которого все-таки направляет Бог-Отец. Это все имеет какой-нибудь смысл?

Иисус посмотрел на Папу, с явным трудом пытаясь сохранить на лице серьезное выражение.

— В этом есть для тебя какой-нибудь смысл, авва? Честно говоря, я понятия не имею, о чем толкует этот человек.

Папа сморщила лицо, словно выражая крайнюю сосредоточенность.

— Нет, я пытаюсь понять, что к чему, но уж извини, у меня не получается.

— Вы знаете, о чем я говорю,— расстроился Мак.— Я говорю о том, кто главный. Неужели у вас нет никакой субординации?

— Субординации? Звучит омерзительно! — сказал Иисус.

— Как минимум несвободно,— прибавила Папа, и они засмеялись, а потом Папа повернулась к Маку и пропела: — «Пусть цепь из золота, она все та же цепь».

— Ты не обращай на них внимания,— вмешалась Сарайю, протягивая ему руку помощи и успокаивая его.— Они просто разыгрывают тебя. На самом деле эта тема нас очень даже интересует.

Мак кивнул, смущенный тем, что снова позволил себе потерять терпение.

— Макензи, у нас так и не сложилось никакой окончательной иерархии, только союз. Мы находимся в круге взаимоотношений, а не в цепи субординации или «великой цепи бытия», как именовали это твои предки. То, что ты наблюдаешь, это взаимоотношения без применения какой-либо власти. Нам не нужна власть друг над другом, потому что мы всегда стремимся к лучшему. Иерархия среди нас не имела бы никакого смысла. Это ваша проблема, а не наша.

— Правда? Это как?

— Люди настолько испорчены, что тебе почти невозможно представить, как они могут работать или жить вместе без того, чтобы кто-то не был главным.

— Однако каждый человеческий институт, о котором я только могу помыслить, от политики и бизнеса и вплоть до самого брака, зиждется именно на подобном типе мышления, это основа нашего социума, — заявил Мак.

— Какое расточительство! — сказала Папа, забирая пустую тарелку и направляясь в кухню.

— И это одна из причин, по которой вам трудно установить друг с другом настоящие взаимоотношения, — прибавил Иисус. — Как только у вас появляется иерархия, вам требуются правила, чтобы защищать и осуществлять ее, затем вам требуется закон и укрепление правил, а заканчиваете вы неким видом субординации или системой приказов, которая уничтожает взаимоотношения, вместо того чтобы развивать их. Вы редко наблюдаете или участвуете во взаимоотношениях, не основанных на силе. Иерархия насаждает законы и правила, и все кончается тем, что вы тоскуете по чуду тех взаимоотношений, которые мы и создали для вас.

— Что ж, — произнес Мак саркастически. — Надо сказать, что мы, судя по всему, прекрасно к ней приспособились.

Сарайю не замешкалась с ответом:

— Только не путай адаптацию с устремлением, а соблазн с реальностью.

— В таком случае... а, кстати, можно мне еще немного овощей? В таком случае, получается, нас соблазняет идея власти?

— В каком-то смысле да! — ответила Папа, протягивая Маку тарелку, но не выпуская из рук, пока он дважды не потянул ее на себя. — Я только о тебе забочусь, сынок.

Сарайю продолжала:

— Когда вы выбрали независимость вместо взаимосвязи, вы сделались опасными друг для друга. Некоторые стали объектами манипулирования или способом добычи счастья для других. Власть, как вы обычно ее понимаете, всего лишь оправдание для сильных, которые заставляют других исполнять то, чего желают они.

— Но разве она не помогает удержать людей от бесконечной борьбы друг с другом и взаимных обид?

— По временам. Но в эгоистическом мире она еще и приносит громадный вред.

— А разве вы не прибегаете к власти, чтобы сдержать зло?

— Мы со всем почтением относимся к вашему выбору, поэтому действуем вне ваших систем, даже когда ищем способ освободить вас от них,— продолжала Папа.— Творение пошло совершенно не тем путем, какой мы предполагали. В вашем мире ценность индивидуальности постоянно противопоставляется выживанию системы, будь то политика, экономика, социум или религия, вообще любая система. Сначала один человек, затем несколько, и наконец массы людей запросто приносятся в жертву ради выгоды и благополучного существования системы. В одном или другом виде это стоит за любой борьбой за власть, любым предубеждением, любой войной и любым нарушением взаимосвязей. Эта «жажда власти и независимости» сделалась настолько повсеместной, что теперь уже воспринимается как норма.

— А это не так?

— Это человеческая схема,— подала голос Папа.— Все равно что вода для рыбы, настолько превалирующая, что остается незамеченной и не вызывает вопросов. Это просто матрица, дьявольская схема, в которой вы безнадежно увязли, хотя совершенно не сознаете ее присутствия.

Иисус тоже вступил в разговор:

— Как славный венец творения, вы были созданы по нашему образу и подобию, необремененные схемами, вы были вольны просто «быть» во взаимосвязи со мной и друг другом. Если бы вы по-настоящему научились уважать чаяния других и считать их такими же важными, как свои, не возникло бы нужды ни в какой иерархии.

Мак откинулся на стуле, силясь разобраться в только что выслушанных утверждениях.

— Так вы говорите, что каждый раз, когда люди защищаются посредством силы...

— То следуют воле матрицы, а не нашей воле, — завершил вместо него Иисус.

— И вот, — вмешалась Сарайю, — мы совершили полный оборот и вернулись к моему изначальному утверждению: вы, люди, настолько испорчены, что почти не сознаете, что могут быть какие-то иные взаимоотношения, кроме иерархических. И думаете, что Бог должен внутри себя соблюдать иерархию, как вы сами. Но мы не такие.

— Как же изменить подобное положение? Другие просто будут использовать нас.

— Большинство непременно захочет. Но мы не предлагаем тебе делать это для других, Мак. Мы предлагаем сделать это для нас. Это единственный способ начать. Мы не станем использовать тебя.

— Мак,— произнесла Папа с нажимом, что вынудило его слушать очень внимательно,— мы хотим поделиться с тобой любовью, радостью, свободой и светом, которые мы сами уже знаем внутри себя. Мы создали тебя, человека, чтобы ты постоянно был лицом к лицу с нами, чтобы ты вошел в наш круг любви. Как бы ни было тебе трудно это понять, все, что имеет место, происходит ровно так, как должно происходить, без принуждения или насилия.

— Как ты можешь говорить такое, когда в мире столько боли, столько войн и бедствий, которые уносят тысячи жизней? — Голос Мака упал до шепота.— И кому какая польза от того, что маленькую девочку убивает извращенец? — Он снова возник, этот вопрос, который лежал, погребенный, на дне его души.— Пусть вы не послужили причиной убийства, но вы, совершенно точно, и не предотвратили его.

— Макензи,— терпеливо ответила Папа, кажется нисколько не задетая его обвинениями,— существует миллион причин, по которым мы допускаем боль, горечь и страдания, вместо того чтобы предотвращать их, но в большинстве случаев причину можно понять, только выслушав историю каждого. Я не зло. Это вы сами с такой готовностью допускаете в свои взаимоотношения страх, боль, насилие и правила. Однако ваш выбор не пересиливает моих намерений, и я использую всякий ваш выбор для достижения абсолютного добра, для самого благоприятного исхода.

— Вот видишь,— вставила Сарайю,— изломанные люди строят свою жизнь на основе того, что кажется им добром, однако это не освобождает их. Они болезненно привязаны к власти или же к иллюзии благополучия, которую дает власть.

Когда происходит какое-нибудь несчастье, эти же самые люди ополчаются на ложные силы, в которые они верили. В своем разочаровании они либо склоняются передо мной, либо делаются развязными в своей независимости. Если бы ты только мог видеть, чем все это заканчивается и чего мы достигаем без насилия над человеческой волей, тогда ты понял бы. В один прекрасный день ты поймешь.

— Но цена! — Мак был вне себя. — Задумайтесь о цене! Сколько боли, сколько страданий, какой кругом ужас и зло. И посмотрите, чего это стоит вам. Разве оно этого стоит?

— Да! — последовал единодушный радостный ответ всех троих.

— Но как вы можете такое говорить? — взорвался Мак. — Это звучит так, словно цель оправдывает средства, словно вы, чтобы достичь желаемого, пойдете на что угодно, даже если это будет стоить жизни миллиардам людей.

— Макензи. — Это снова был голос Папы, мягкий и нежный. — Ты действительно пока не понимаешь. Ты пытаешься отыскать смысл в мире, в котором живешь, основываясь на очень маленькой и неполной картине реальности. Это все равно что смотреть на парад через крошечное отверстие от выпавшего сучка обиды, боли, эгоцентризма и власти и верить при этом, что ты существуешь сам по себе и ничего не значишь. Во всем этом содержится могущественная ложь. Ты видишь боль и смерть как безоговорочное зло, а Бога как безоговорочного предателя или, в лучшем случае, как существо, совершенно не заслуживающее доверия. Ты диктуешь обвинения, судишь мои дела и признаешь меня виновным.

Главная ошибка, лежащая в основе твоей жизни, Макензи, состоит в том, что ты не считаешь меня добром. Если бы ты знал, что я добро и все эти финалы и процессы отдельно взятых жизней совершенно перекрываются моей добротой, разве мог бы ты тогда не понимать, что я делаю, разве стал бы не доверять мне? Но ты этого не знаешь.

— Не знаю? — спросил Мак, но только это был не вопрос. Это была констатация факта, и он это сознавал.

Остальные, кажется, тоже знали, и за столом повисла тишина.

Заговорила Сарайю.

— Макензи, ты не можешь рождать веру, точно так же как не можешь «делать» смирение. Либо оно есть, либо его нет. Вера — это плод взаимоотношений, благодаря которым ты знаешь, что тебя любят. Поскольку ты не знаешь, что я тебя люблю, ты не можешь мне доверять.

И снова наступила тишина. Наконец Мак поднял глаза на Папу и заговорил:

— Я не знаю, как это изменить.

— Ты и не сможешь в одиночку. Однако вместе мы будем наблюдать за переменами. Пока что я хочу, чтобы ты просто побыл со мной и понял, что наши взаимоотношения — это никакое не представление и ты не обязан мне угождать. Я не вожак, не какое-то там капризное мелкое божество, требующее идти назначенным мною путем. Я добро, и я желаю тебе только самого лучшего. Ты не сможешь достичь этого через обвинение, осуждение или принуждение, только через любовь. А я действительно тебя люблю.

Сарайю поднялась из-за стола.

— Макензи,— позвала она,— если тебе интересно, я бы хотела, чтобы ты пошел и помог мне в саду. Мне необходимо кое-что сделать до завтрашнего празднества. Мы можем продолжить этот разговор там. Пойдешь со мной?

— Конечно,— ответил Мак и, извинившись, встал из-за стола.

— Последнее замечание,— добавил он, оборачиваясь к остальным.— Я не могу представить себе никакого исхода, который оправдывал бы все это.

— Макензи.— Папа встала со стула и обошла вокруг стола, чтобы его обнять.— Он не просто оправдывает. Он все искупает.

Глава 9

Давным-давно, в далеком-далеком саду

*Даже найди мы второй Эдем,
мы не смогли бы ни насладиться им в полной мере,
ни остаться там навсегда.*

— Генри ван Дайк —

Мак, как мог, поспешал вслед за Сарайю. Они шли по тропинке вдоль ряда елей. Следовать за ней было все равно что пытаться нагнать солнечный луч. Свет как будто просачивался сквозь нее, а затем распространял ее присутствие на множество мест одновременно. Ее природа была в высшей степени эфирной, полной живых теней, разных оттенков цвета и движений. «Не удивительно, что многие люди опасаются общения с ней,— подумал Мак.— Она явно не из тех, чьи поступки можно предсказать».

Поэтому Мак сосредоточился на том, чтобы не сойти с тропинки. Когда он миновал елки, то увидел, что на клочке земли едва ли больше акра разбит великолепный сад с цветами и фруктовыми деревьями. По неизвестной причине Мак ожидал увидеть холеный, идеально упорядоченный английский сад. Но ничего подобного!

Здесь было буйство красок. Его глаза безуспешно пытались отыскать хоть какой-то порядок в этом вопиющем пренебрежении определенностью. Ослепительно яркие брызги цветов вспыхивали между кляксами как попало разбросанных грядок с овощами и травами, ничего похожего на которые Мак никогда не встречал. Сад приводил в смятение и был прекрасен.

— Если смотреть сверху, это фрактал,— сказала Сарайю, с довольным видом оглянувшись через плечо.

— Что? — рассеянно переспросил Мак, его разум все еще пытался охватить и осмыслить движение оттенков и теней. С каждым шагом узор, который в предыдущий миг он вроде бы начинал понимать, изменялся, и все становилось не таким, как было.

— Фрактал... нечто кажущееся простым и упорядоченным, но на самом деле состоящее из множества повторяющихся до бесконечности фрагментов. Фрактал бесконечно сложен. Я люблю фракталы, поэтому использую их повсюду.

— По мне, так здесь полный беспорядок,— пробормотал себе под нос Мак.

Сарайю остановилась и обернулась к Маку, лицо ее было вдохновенным.

— Мак! Спасибо! Какой чудесный комплимент! — Она оглядела сад.— Это именно то, что есть — беспорядок. Но,— она, сияя, снова посмотрела на Мака,— это еще и фрактал.

Сарайю направилась к какому-то травянистому растению, отломила от него несколько верхушек и повернулась к Маку.

— Вот,— сказала она, и голос был похож на музыку.— Папа не шутила за завтраком. Пожуй. Эти листья предотвратят «естественное движение» тех овощей, которыми ты злоупотребил. Наверное, ты понимаешь, о чем я.

Мак хмыкнул, принимая угощение, и начал с опаской жевать.

— Угу, но те овощи были такими вкусными! — В животе у него уже начинало бурчать, и хотя он был ошарашен, оказавшись среди подобного буйства зелени, впечатления нисколько не помогали забыть о пищеварении. Вкус листьев оказался очень приятным, слегка похожим на мяту и другие специи, которые ему доводилось нюхать, только он не знал, как они называются. Пока они шли дальше, бурчание в животе начало медленно утихать, и он расслабился, осознав, что до сих пор весь сжимался в тугой узел.

Не произнося ни слова, он старался шаг за шагом следовать за Сарайю, но понял, что его сильно отвлекают пятна красок: смородиновые и карминово-красные, мандариновые и оттенка шартреза, смешанные с платиной и фуксией, не говоря уже о бесконечных тонах зеленого и коричневого. Все это ошеломляло и пьянило.

Сарайю, кажется, была сосредоточена на какой-то определенной цели. Но, как и обещало ее имя, она вилась рядом, словно игривый ветерок, и Мак никак не мог определить, в какую же сторону он дует. Он обнаружил, что следовать за ней непросто. Это напомнило ему о том, как он обычно старается поспеть за Нэн в торговом центре.

Сарайю шла по саду, собирая разнообразные цветы и травы и предоставляя Маку нести их. Благоухающий пряными ароматами сноп все разрастался. Смесь пикантных специй была не похожа ни на что, и запахи были такими сильными, что он почти ощущал их вкус.

Получившийся в итоге букет они внесли в маленький садовый сарай, которого Мак не заметил раньше, потому что он был скрыт густыми зарослями, где были и лозы, и что-то такое, что Маку показалось самыми настоящими сорняками.

— Одно дело сделано, — объявила Сарайю, — еще одно осталось. — Она дала Маку короткую лопатку, грабли и серп, пару перчаток, выплыла наружу и двинулась по совершенно заросшей дорожке, которая, кажется, уводила в самый дальний угол сада. Она время от времени замедляла шаг, чтобы коснуться какого-нибудь растения или цветка, непрерывно напевая себе под нос ту же мелодию, которая так захватила Мака накануне вечером. Он послушно следовал за ней, неся врученные ему инструменты и стараясь не упускать ее из виду, в то же время глазея по сторонам.

Когда она остановилась, Мак едва не врезался в нее, отвлеченный окружающим пейзажем. Она каким-то образом успела переодеться в рабочую одежду: джинсы с узорами, рабочая рубаха и перчатки. Они пришли в ту часть сада, где росли фруктовые деревья, но не только. Укромное это место представляло собой поляну, с трех сторон окруженную персиковыми и вишневыми деревьями, с раскинувшимися посередине зарослями кустов с пурпурными и желтыми цветками, от которых захватывало дух.

— Макензи.— Она указала на кусты.— Мне нужна твоя помощь, чтобы расчистить этот кусок земли. Завтра я собираюсь посадить здесь нечто особенное, и нам необходимо все подготовить.— Она взглянула на Мака и протянула руку за серпом.

— Ты же это не всерьез? Здесь так красиво, и место такое потаенное,— сказал он, однако Сарайю словно не услышала его.

Не вдаваясь в дальнейшие объяснения, она повернулась и принялась уничтожать живописные кущи. Она срезала все подчистую, как казалось, без малейшего усилия. Мак пожал плечами, натянул выданные ему перчатки и принялся граблями сгребать в кучу срезанные стебли и ветки. Ему приходилось прилагать усилия, чтобы не отставать от Сарайю. Может, для нее подобная работа была и легка, а вот для него это был тяжкий труд. Спустя двадцать минут все растения были срезаны, и поляна превратилась в настоящую рану на теле сада. Предплечья Мака саднило из-за многочисленных царапин, оставленных ветками, которые он сгребал. Он задыхался и истекал потом, радуясь, что все позади. Сарайю стояла среди поляны, рассматривая дело рук своих.

— Ну, разве это не весело? — спросила она.

— Бывало, я веселился и получше,— съехидничал Мак.

— О Макензи, если бы ты только знал. Радует не сама работа, а цель, ради которой она проделана. К тому же это единственное мое занятие.

Мак оперся на грабли, поглядел на сад, затем на алые царапины на своих руках.

— Сарайю, я знаю, что ты Творец, но разве не ты сотворила еще и ядовитые растения, кусачую крапиву и комаров?

— Макензи, сотворенное существо может только брать то, что уже существует, и из него кроить нечто совсем иное.

— То есть ты хочешь сказать, ты...

— ...создала то, что действительно существует, включая и то, что тебе кажется вредным,— завершила за него предложение Сарайю.— Но когда я создавала это, оно было только Добром, потому что я именно такая.— Она едва не опустилась в книксене, прежде чем вернуться к своей работе.

— Но,— продолжал Мак, не удовлетворенный ответом,— почему такое множество «Добра» стало «плохим»?

На этот раз Сарайю выдержала паузу, прежде чем ответить.

— Вы, люди, кажетесь себе такими мелкими в собственных глазах. Вы действительно не видите своего места в Творении. Избрав пагубный путь независимости, вы даже не сознаете, что тащите по нему за собой все Творение.— Она покачала головой, и в деревьях неподалеку вздохнул ветер.— Как ни печально, но это не может продолжаться вечно.

Они оба замолчали. Мак тем временем рассматривал разнообразные растения, которые можно было увидеть с их поляны.

— И что, в этом саду тоже есть ядовитые растения? — спросил он.

— Ну конечно! — воскликнула Сарайю.— Некоторые из них — мои любимцы. До каких-то опасно даже дотрагиваться, например вот до этого.— Она коснулась ближайшего куста и отломила от него сухую на вид веточку с несколькими крошечными листочками, торчащими из основания. Она протянула веточку Маку, который поднял обе руки, чтобы не коснуться растения.

Сарайю засмеялась.

— Я же здесь, Мак. Иногда трогать безопасно, а иногда стоит поостеречься. Это и есть чудо и волнение открытия нового, часть того, что называется наукой — распознать и отыскать то, что мы спрятали от вас, чтобы вы нашли.

— Но почему вы спрятали?

— А почему дети так любят играть в прятки? Спроси у того, кто захвачен страстью исследовать, открывать и творить. Решение спрятать от вас столько чудес — это проявление любви, это дар, заключенный внутри дара жизни.

Мак с опаской протянул руку и взял ядовитую веточку.

— Если бы ты не сказала, что я могу это потрогать, оно отравило бы меня?

— Несомненно! Но если я предлагаю тебе потрогать, это совсем другое дело. Для любого сотворенного существа автономность просто безумие. Свобода включает в себя доверие и повиновение внутри круга любви. Поэтому, если ты не слышишь моего голоса, разумнее будет не спешить и сначала познать природу растения.

— Но зачем вообще было создавать ядовитые растения? — спросил Мак, отдавая ветку.

— Твой вопрос подразумевает, что яд — это плохо, что подобное творение лишено смысла. Многие из так называемых плохих растений, как это например, таят в себе невероятные способности к исцелению или же необходимы для воплощения поразительных чудес, если добавить их к чему-то еще. Люди обладают неисчерпаемой способностью объявлять что-нибудь хорошим или плохим, не понимая сути.

Надо полагать, короткий перерыв, устроенный исключительно ради Мака, подошел к концу, и Сарайю сунула ему в руки лопатку, а сама подняла грабли.

— Чтобы подготовить почву, надо выкопать все корни тех чудесных растений, которые здесь были. Это тяжелая работа, но сделать ее необходимо. Если корней не останется, они не смогут дать побеги и заглушить семя, которое мы посеем.

— Хорошо,— проворчал Мак.

Они оба опустились на колени посреди очищенной поляны. Сарайю умело запускала руку глубоко в землю, отыскивала концы корней и без всякого усилия извлекала их на поверхность. Самые короткие она оставляла Маку, который откапывал их лопаткой и вытягивал наружу. Затем они стряхивали с корней землю и бросали в одну из куч, которые Мак до того нагреб граблями.

— Сожгу их потом,— сказала она.

— Ты говорила, что люди объявляют что-то хорошим или плохим, не зная его сути? — напомнил Мак.

— Да. Я имела в виду главным образом Древо познания Добра и Зла.

— Древо познания Добра и Зла? — переспросил Мак.

— Именно! — заявила она, не прекращая работы.— Теперь, Макензи, ты начинаешь понимать, почему поедать опасный плод того дерева было настолько губительно для твоей расы?

— Я никогда об этом по-настоящему не задумывался,— признался Мак, заинтригованный тем, какое направление принял их разговор.— Так значит, сад существовал на самом деле? Я имею в виду Эдем и все прочее.

— Ну разумеется. Я же говорила тебе, что к садам у меня особенная страсть.

— Но очень многие люди думают, что это просто миф.

— Ну, подобная ошибка не является роковой. Слухи о великом зачастую сохраняются в том, что многие считают мифами или легендами.

— У меня имеется несколько друзей, которым это не понравилось бы,— заметил Мак, сражаясь с одним особенно упрямым корнем.

— Это не важно. Лично я сама очень их люблю.

— Я просто поражен,— произнес Мак несколько саркастически и улыбнулся ей.— Что ж, ладно.— Он воткнул лопатку в землю и схватил корень рукой.— Так расскажи мне о Древе познания Добра и Зла.

— Это как раз то, о чем мы говорили за завтраком,— ответила она.— Позволь мне начать с вопроса. Когда с тобой происходит что-нибудь, как ты определяешь, доброе оно или злое?

Мак секунду поразмышлял, прежде чем отвечать.

— Ну, над этим я тоже особенно не задумывался. Наверное, я назову что-нибудь добрым, если мне оно нравится, в том случае, если мне от него хорошо и оно дает ощущение безопасности. И, напротив, я назову что-то злым, если оно причиняет мне боль и заставляет расстаться с чем-то дорогим.

— В таком случае получается, что это все совершенно субъективно?

— Наверное, так.

— Но насколько ты уверен в своей способности определять, что в самом деле является для тебя добром, а что — злом?

— Если честно,— произнес Мак,— я по-настоящему впадаю в ярость, когда кто-то угрожает моему «Добру». Хотя я не вполне уверен, что у меня имеются логические обоснования для определения, что действительно добро...— Он сделал паузу, чтобы перевести дух.— Наверное, это кажется эгоистичным и эгоцентричным. И если оглянуться назад, то и там не увидишь ничего обнадеживающего. Кое-что из того, что изначально я считал добром, оказалось ужасающе разрушительным, а некоторое зло, что ж, оно оказалось...

Он колебался, не зная, как лучше закончить фразу, но Сарайю перебила его.

— Так получается, что ты сам определяешь, что добро, а что зло. Ты становишься судьей. И в довершение ко всему ты еще и заявляешь, что добро может меняться с течением времени и под воздействием обстоятельств. Кроме того, что еще хуже, вас миллионы таких, и каждый решает, что есть добро и что зло. Следовательно, когда твое добро и зло сталкиваются с добром и злом соседа, возникают споры и ссоры, и даже разражаются войны.

Все краски, переливавшиеся внутри Сарайю, потемнели, пока она говорила, черный цвет и серый теперь смешивались, бросая тень на радужные оттенки.

— Но если в реальности не существует абсолютного добра, значит, у тебя нет и никаких оснований, чтобы судить. Это просто слова, и тогда любой может поменять слово «добро» на слово «зло».

— Да, это может обернуться большой проблемой,— согласился Мак.

— Проблемой? — Сарайю почти выплюнула это слово, поднимаясь и глядя ему в лицо. Она была возмущена, но он понимал, что ее негодование обращено не на него лично.— Вот уж точно! Решение съесть плод того дерева разделило вселенную на части, отделило духовное от физического. Они умерли, отторгая в выдохе своего выбора дыхание самого Бога. Да уж, действительно проблема!

Во время своей горячей речи Сарайю медленно поднялась над землей, потом опустилась, голос ее упал до шепота, но был явственно различим.

— То был день Великой Скорби.

Они молчали минут десять, продолжая работать. Пока Мак выкапывал корни и кидал их в кучу, разум его старательно постигал смысл услышанного. Наконец он нарушил молчание.

— Теперь я понимаю,— признался Мак,— что растратил большую часть времени и сил, пытаясь понять, что же я считаю добром, будь то финансовая стабильность, здоровье, пенсия или что-то еще. И я потратил невероятное количество сил, терзаясь страхом, что мне предназначено быть злом.

— Как же ты прав, — тихо произнесла Сарайю. — Запомни следующее. Именно по этой причине часть тебя предпочитает не видеть меня. И поэтому ты не нуждаешься во мне, чтобы составить свой собственный список добра и зла. Однако я действительно нужна тебе, если у тебя имеется хоть малейшее желание избавиться от этой безумной страсти к независимости.

— Так значит, есть способ все исправить? — спросил Мак.

— Ты должен отказаться от своего права решать, что добро и что зло, говоря твоим языком. Эту горькую пилюлю нелегко проглотить, избирая жизнь только во мне. Чтобы это сделать, ты должен познать меня настолько, чтобы поверить, и научиться погружаться в мою доброту.

Сарайю повернулась к Маку, во всяком случае, так ему показалось.

— «Зло» — это слово, каким мы описываем отсутствие Бога, точно так же как словом «темнота» мы описываем отсутствие Света, а словом «смерть» — отсутствие Жизни. И зло и темнота могут быть поняты только в связи со Светом и Добром. Я Любовь, и во мне нет тьмы. Свет и Добро действительно существуют. Отдаляясь от меня, ты погружаешься в темноту. Объявляя о своей независимости, ты в результате попадаешь во власть зла, потому что, оторвавшись от меня, ты можешь быть только с самим собой. Это смерть, потому что ты отделился от меня, от Жизни.

— Ого, — воскликнул Мак, — это и в самом деле может помочь. Но я также понимаю, что отказаться от собственной независимости будет нелегко. Ведь это означает...

Сарайю перебила его:

— ...что в какой-то миг добром станет наличие рака, или потеря доходов, или даже жизни.

— Да, только скажи это тому, кто болен раком, или объясни отцу, у которого убили дочь,— заявил Мак несколько более саркастически, чем намеревался.

— О Макензи,— успокаивающе произнесла Сарайю.— Неужели ты думаешь, что мы не помним о них каждый миг? Каждый из них стоит в центре другой истории, еще не рассказанной.

— Но,— Мак вонзал лопатку в жесткую почву и чувствовал, как сдержанность покидает его,— разве у Мисси не было права быть защищенной?

— Нет, Мак. Ребенок защищен, потому что любим, а не потому, что у него есть право быть защищенным.

Эти слова заставили его замереть. Каким-то образом только что сказанное Сарайю, кажется, перевернуло мир вверх тормашками, и он потерял почву под ногами.

— Но как же тогда...

— Права там, куда уходят оставшиеся в живых, для того чтобы им не пришлось вырабатывать взаимоотношения,— перебила она.

— Но если я перестану...

— Тогда ты начнешь понимать чудо и радость жизни во мне,— снова перебила она.

Мак потихоньку выходил из себя. Он заговорил громче:

— Но разве у меня нет права...

— Завершить предложение, чтобы тебя не прерывали? Нет у тебя такого права. И до тех пор, пока ты будешь считать, что оно у тебя есть, ты совершенно точно будешь выходить из себя каждый раз, когда кто-нибудь тебя перебьет, даже если это сам Господь Бог.

Мак был сбит с толку. Он поднялся, не зная, злиться ему или смеяться. Сарайю улыбнулась ему.

— Макензи, Иисус не цеплялся ни за какие права, он по собственной воле стал слугой и живет во взаимозависимости с Папой. Он отказался от всего, потому что своей зависимой жизнью открыл дверь, которая позволит тебе жить настолько свободным, чтобы позабыть о своих правах.

В этот момент на тропинке появилась Папа с двумя бумажными пакетами в руках.

— Надеюсь, вы хорошо поговорили? — Она подмигнула Маку.

— Лучше не бывает! — воскликнула Сарайю.— И знаешь что? Он сказал, что у нас в саду полный беспорядок, ну разве не чудесно?

Они обе улыбались Маку, который все еще сомневался, не водят ли его за нос. Его гнев поутих, но он чувствовал, что щеки пылают. Однако женщины, кажется, не обращали на это ни малейшего внимания.

Сарайю потянулась и поцеловала Папу в щеку.

— Как всегда, твое чувство времени безупречно. Макензи сделал все, что я хотела.— Она повернулась к нему: — Макензи, ты просто чудо! Большое спасибо за труды!

— Да ведь я же почти ничего не сделал,— смутился он.— Я хочу сказать, только посмотрите на весь этот беспорядок.— Его взгляд скользил по саду, окружавшему их.— Но на самом деле сад полон тебя, Сарайю. Кажется, что работы здесь еще невпроворот, но у меня такое чувство, что я очутился дома.

Обе переглянулись и улыбнулись.

Сарайю подошла к нему вплотную, как бы вторгаясь в его личное пространство.

— Так и должно быть, Макензи, потому что этот сад — твоя душа. Этот беспорядок и есть ты! Мы с тобой трудились над устремлениями твоей души. Она дикая, прекрасная и полностью в процессе роста. Тебе это кажется беспорядком, но лично я вижу идеальный узор, развивающийся, растущий, живой — живущий фрактал.

От этих слов Мак вновь едва не потерял самообладание. Он оглядел их сад, его сад, который действительно являл собой беспорядок, но в то же время представлял собой нечто невероятное и чудесное. Более того, Сарайю любила подобный беспорядок. Понять это было слишком трудно, и он снова сдержал чувства, грозившие выплеснуться наружу.

— Макензи, Иисус хочет взять тебя на прогулку, если ты не против. Я собрала вам перекусить, на случай, если проголодаетесь. Так что жду вас к чаю, не раньше.

Мак повернулся, чтобы взять пакеты с едой, и почувствовал, что Сарайю поцеловала его в щеку, однако он не увидел, как она ушла. Словно ветер, решил он, отмечая ее движение по тому, как в почтительном поклоне нагибались растения. Когда он обернулся к Папе, она тоже исчезла, поэтому он направился в сторону мастерской, узнать, не там ли Иисус. Было такое ощущение, будто у них назначена встреча.

Глава 10

Прогулка по воде

Новый мир – просторный горизонт,
Раскрой глаза, смотри – он твой.
Новый мир бушует там, вдали,
За грозной океанской синевой.

— Дэвид Уилкокс —

Иисус закончил шлифовать последний угол какого-то ящика, похожего на гроб, провел пальцами по гладкому краю, удовлетворенно кивнул и отложил в сторону наждачную бумагу. Он стоял в дверном проеме, стряхивая древесную пыль с джинсов и рубашки, пока Мак подходил.

— Привет, Мак! А я тут заканчиваю работу для завтрашнего дня. Не хочешь пойти на прогулку?

Маку вспомнилась их последняя прогулка под звездами.

— С удовольствием, — ответил он. — Но почему вы все говорите о завтрашнем дне?

— Это будет большой день для тебя, одна из причин, по которой ты здесь. Пойдем. Тут неподалеку есть одно место, хочу тебе его показать с другого берега, оттуда открывается неописуемое зрелище. Видно даже самые высокие пики.

— Звучит многообещающе! — с энтузиазмом отозвался Мак.

— Похоже, наш обед уже у тебя, так что можно отправляться.

Вместо того чтобы обогнуть озеро с той стороны, где, как предполагал Мак, имелась тропинка, Иисус направился к причалу. День был погожий. Солнце согревало, но не обжигало, веял свежий благоуханный ветерок, любовно касаясь их лиц.

Мак думал, что они возьмут каноэ, привязанное к опоре причала, и очень удивился, когда Иисус, не колеблясь, прошел мимо третьего и последнего из них. Дойдя до конца причала, он обернулся к Маку и улыбнулся.

— После тебя,— произнес он с шутливой торжественностью и поклонился.

— Это розыгрыш, да? — возмущенно спросил Мак.— Ты не предупредил меня, что придется добираться вплавь.

— Зачем же вплавь? Прямо через озеро будет быстрее.

— Видишь ли, я не слишком хорошо плаваю, кроме того, судя по всему, вода дьявольски холодная,— пожаловался Мак. Он вдруг понял, что сказал, и ощутил, как вспыхнуло лицо.— Э, я хотел сказать, ужасно холодная.— Он уставился на Иисуса с застывшей на лице гримасой, но тот, кажется, наслаждался его замешательством.

— Послушай,— Иисус сложил руки на груди,— мы оба знаем, что ты очень хороший пловец, когда-то даже, если я правильно помню, ты работал на спасательной станции.

И вода действительно холодная. Но я не предлагаю тебе плыть. Я хочу вместе с тобой перейти на другой берег.

Мак наконец-то впустил в сознание то, что предлагал Иисус. Тот, понимая его сомнения, настаивал:

— Давай, Мак. Если Петр смог...

Мак нервно засмеялся:

— Ты хочешь, чтобы я вместе с тобой пешком перешел на другую сторону?

— А ты быстро соображаешь, Мак. От тебя точно ничто не укроется. Ну, пошли, это же весело!

Мак подошел к краю причала и посмотрел вниз. Вода плескалась всего в футе от его ног, но она могла с тем же успехом быть и в сотне футов. Расстояние казалось громадным. Нырнуть было бы несложно, он делал это тысячи раз, но как сойти с причала на воду? Прыгнуть, как будто ожидаешь приземлиться на асфальт, перекинуть ногу через край, как будто выходишь из лодки? Он оглянулся на Иисуса, который все еще посмеивался.

— У Петра были те же сложности: как же выйти из лодки. Это все равно что спуститься со ступеньки лестницы высотой в фут. Ничего особенного.

— А ноги промокнут? — спросил Мак.

— Естественно, вода-то мокрая.

Мак снова посмотрел на воду, потом на Иисуса.

— Тогда почему же мне так сложно это сделать?

— Скажи, чего ты боишься?

— Ну, дай подумать,— начал Мак.— Что ж, я боюсь выставить себя идиотом. Боюсь, что ты потешаешься надо мной и я сразу пойду камнем на дно. Я представляю себе...

— Именно,— перебил его Иисус.— Ты представляешь. Какая могучая штука это воображение! Только оно делает тебя таким же, как мы. Однако без мудрости воображение жестокий наставник. Чтобы доказать свои слова, я спрошу: как ты думаешь, люди были созданы, чтобы жить в настоящем, прошлом или будущем?

— Ну,— протянул Мак, сомневаясь,— мне кажется, наиболее очевидный ответ, что мы созданы жить в настоящем. А это не так?

Иисус усмехнулся.

— Расслабься, Мак, это не экзамен, это разговор. Кстати, ты совершенно прав. Но теперь скажи мне, где ты проводишь больше времени в своем воображении: в настоящем, прошлом или будущем?

Мак на минуту задумался, прежде чем ответить.

— Полагаю, мне придется признать, что я меньше всего трачу времени на настоящее. Лично я по большей части представляю прошлое и почти все оставшееся время пытаюсь вообразить будущее.

— Как и большинство людей. Когда я живу в тебе, я делаю это в настоящем, живу в настоящем. Не в прошлом, хотя многое можно вспомнить и постичь, оглядываясь назад, но только на минуту, а не для того, чтобы задерживаться там. И совершенно точно, меня нет в будущем, которое ты видишь или воображаешь. Мак, ты сознаешь, что твое представление о будущем, которое почти всегда продиктовано какими-либо страхами, редко, если вообще когда-нибудь, рисует меня рядом с тобой?

И снова Мак замешкался и задумался. Это было правдой. Он много времени тратил на беспокойство о будущем, и в его воображении оно было весьма мрачным и гнетущим, если не откровенно кошмарным. Иисус был прав, утверждая, что в воображаемых Маком картинах будущего Бог отсутствовал.

— Но почему так? — спросил Мак.

— Это твоя отчаянная попытка управлять тем, над чем у тебя нет власти. Ты не имеешь власти над будущим, потому что оно нереально и никогда не станет реальным. Ты стараешься, разыгрываешь из себя Бога, воображая зло, которое, как ты опасаешься, станет реальностью, а затем строишь планы, как избежать этого зла.

— Да, это примерно то, о чем говорила Сарайю,— ответил Мак.— Так почему же у меня в жизни столько страхов?

— Потому что ты не веришь. Ты не знаешь, что мы тебя любим. Личность, которая живет своими страхами, не найдет свободы в моей любви. Я говорю не о рациональных страхах, касающихся реальных опасностей, но о воображаемых страхах, в особенности о спроецированных на будущее. Страх занимает в твоей жизни так много места, что ты никогда не поверишь, что я добро, и не поймешь, что я тебя люблю. Ты поешь об этом, ты говоришь об этом, но ты не знаешь этого.

Мак снова посмотрел на воду и вздохнул.

— Мне кажется, что она так далеко.

— По мне, так всего лишь в футе,— засмеялся Иисус, опуская руку Маку на плечо.

Это было все, чего ему не хватало, и Мак сошел с причала. Чтобы убедить себя, будто вода твердая, и не отвлекаться на ее податливость, он смотрел на дальний берег, на всякий случай высоко подняв пакеты с едой.

«Приводнение» оказалось мягче, чем он предполагал. Ботинки сейчас же промокли, однако вода не поднималась выше лодыжек. Озеро по-прежнему двигалось вокруг него, и от этого движения он едва не лишился равновесия. Ощущение было странное. Глядя вниз, он видел, что его ноги покоятся на чем-то прочном, но невидимом. Он обернулся и обнаружил, что Иисус стоит рядом, держа в руке ботинки с носками, и улыбается.

— Мы всегда перед этим разуваемся,— засмеялся он.

Мак покачал головой, тоже смеясь, и присел на край причала.

— Судя по всему, придется.— Он снял ботинки, выжал носки, закатал штанины.

Они тронулись путь, направляясь к противоположному берегу, находившемуся примерно в полумиле. Вода была холодной, по спине бежали мурашки. Хождение по воде казалось почти естественным способом передвижения, и Мак улыбался. Время от времени он посматривал под ноги в надежде увидеть форель.

— Знаешь, это совершенно невероятно,— воскликнул он.

— Конечно,— подтвердил Иисус.

Они быстро приближались к суше. Шум бегущей воды сделался громче, однако Мак не мог определить его источник. В двадцати ярдах от берега он остановился. Он увидел слева, за краем высокой скалы, прекрасный водопад, переваливавшийся через край утеса и падавший с высоты не менее ста футов в озеро на дне ущелья. Далее начинался широкий ручей, который, видимо, вытекал из озера, но отсюда

Маку было не рассмотреть. Между ними и водопадом раскинулся горный луг, поросший дикими цветами, семена которых случайно занес сюда ветер. Зрелище было ошеломляющее, и Мак секунду стоял, впитывая его в себя. Образ Мисси всколыхнулся в мозгу, но не задержался.

Перед ними простирался каменистый пляж, а позади него, до самого подножия горы, увенчанной шапкой свежевыпавшего снега, тянулся густой лес. Чуть левее, на краю небольшой полянки, как раз на другом берегу ручья, начиналась тропинка, которая сейчас же исчезала в лесном сумраке. Мак вышел из воды на мелкую гальку, осторожно приблизился к упавшему дереву, уселся на него, еще раз выжал носки и положил их вместе с ботинками сохнуть на солнце.

Только тогда он поднял голову и взглянул на озеро. От красоты захватывало дух. Он видел отсюда хижину, над красной кирпичной трубой которой лениво курился дымок, видел зеленый массив сада и леса за ней. Но все это казалось лилипутским на фоне гор, которые нависали сзади и сверху, словно стоящие на посту часовые. Иисус сел рядом.

— Ты делаешь великое дело,— произнес Мак негромко.

— Спасибо, Мак, но ты же видел так мало. Большую часть того, что существует во вселенной, способен увидеть только я, и только я любуюсь этим, подобно тому как лишь сам художник способен любоваться самыми ценными холстами, припрятанными в углу студии... Да разве было бы такое возможно, если бы земля не воевала непрестанно, отдавая все силы только одному — выживанию? Наша земля как ребенок, выросший без родителей, которого никто не направляет и не дает совета.— Голос Иисуса зазвенел от сдерживаемого возмущения.— Некоторые пытаются ей помочь, но большинство просто использует. Люди, которым было дано задание править миром с любовью, расточают его понапрасну, не задумываясь ни о чем, кроме сиюминутной выгоды. Они совершенно не думают о своих детях, которым в наследство достанется отсутствие любви. Они бездумно выжимают из земли соки, оскорбляют ее пренебрежением; когда же она содрогается в корчах и исторгает огонь и дым, они оскорбляются и замахиваются кулаком на Бога.

— Ты эколог? — спросил Мак, едва ли не упрекая.

— Этот сине-зеленый шарик в черном пространстве, истерзанный, униженный и прекрасный...

— Мне знакома эта песня. Ты, надо думать, горячо заботишься о Творении,— улыбнулся Мак.

— Что ж, этот сине-зеленый шарик в черном пространстве принадлежит мне,— многозначительно проговорил Иисус.

Минуту спустя они открыли свои пакеты с пищей. Это были бутерброды, приготовленные Папой, и они с аппетитом принялись за еду. Мак жевал нечто вкусное, но не мог с точностью определить, животного или растительного оно происхождения. Он подумал, что лучше и не спрашивать.

— Так почему ты все не исправишь? — спросил он, уплетая бутерброд.— Я имею в виду землю.

— Потому что мы отдали ее вам.

— А вы можете забрать ее обратно?

— Конечно можем, но тогда история закончится до назначенного срока.

Мак непонимающе посмотрел на Иисуса.

— Ты не заметил, что хотя вы и называете меня Богом и Царем, я на самом деле никогда не общался с вами в таком качестве? Что я никогда не направлял ваш выбор, не заставлял вас делать то или иное даже в тех случаях, когда вы творили что-нибудь разрушительное или болезненное для себя и других?

Мак оглядел озеро, прежде чем отвечать.

— Иногда мне хотелось, чтобы ты заставлял. Это спасло бы от боли меня и тех, кого я люблю.

— Насаждение своей воли, — ответил Иисус, — это как раз то, чего любовь не делает. Истинные взаимоотношения отличает смирение, даже когда ваш выбор бесполезен или неверен.

Это та красота, какую ты видишь в моих взаимоотношениях с Папой и Сарайю. Мы смиряемся друг перед другом, и так было всегда, и будет всегда. Папа точно так же склоняется передо мной, как я перед Папой, как Сарайю передо мной и перед Папой, а мы перед ней. Смирение не имеет отношения к властности, это не повиновение, оно вытекает из взаимоотношений, выстроенных на любви и уважении. И точно так же мы склоняемся перед тобой.

Мак удивился:

— Как это возможно? С чего бы Творцу вселенной смиряться передо мной?

— Потому что мы хотим, чтобы ты вошел в наш круг взаимоотношений. Мне не нужны рабы, покорные моей воле, мне нужны братья и сестры, которые будут жить вместе со мной.

— Полагаю, ты хочешь, чтобы именно так мы любили и друг друга? Я хочу сказать, мужья и жены, родители и дети. Должно быть, такими предполагались любые взаимоотношения?

— Совершенно верно! Если я твоя жизнь, то смирение — это наиболее естественное проявление моего характера и природы, и это становится естественным проявлением твоей новой природы внутри подобных взаимоотношений.

— А все, чего я хотел, это Бога, который просто все исправит, чтобы никто не был обижен. Но только у меня не слишком хорошо выходит со взаимоотношениями, не то что у Нэн.

Иисус покончил со своим бутербродом и, закрыв пакет, положил его рядом с собой на бревно. Он смахнул пару крошек, застрявших в усах и короткой бородке. Затем, взяв лежавшую рядом палку, принялся чертить что-то на песке, продолжая разговор.

— Это потому, что ты, как большинство мужчин, полагаешь, что самое главное — твои жизненные достижения, а Нэн, как большинство женщин, видит это главное во взаимоотношениях. Для ее системы ценностей это естественно. — Иисус помолчал, глядя, как морской ястреб входит в воду меньше чем в пятидесяти футах от них и затем медленно поднимается, унося в когтях крупную форель, которая пытается вырваться на свободу.

— Означает ли это, что я безнадежен? Я действительно хочу быть с вами, но понятия не имею, как попасть в ваш круг.

— На твоем пути сейчас много разных преград, Мак, но ты не должен жить с ними и дальше.

— Теперь я лучше сознаю, что Мисси больше нет, но смириться с этим мне никогда не было легко.

— Дело не только в твоих постоянных размышлениях об убийце Мисси. Существуют и более серьезные отклонения, которые затрудняют твою жизнь с нами. Мир распался, потому что в Эдеме вы, чтобы насладиться свободой, отказались зависеть от нас. Для большинства мужчин свобода выражается в обращении к работе, к труду своими руками, в поте лица своего, через который они сознают свою индивидуальность, значимость, защищенность. Присвоив себе право решать, что добро и что зло, вы предопределили собственную судьбу. Именно этот поворот принес с собой столько боли.

Иисус оперся на палку, чтобы встать, — подождал, когда Мак доест бутерброд и тоже встанет. Вместе они двинулись по берегу озера.

— С женщинами все совершенно иначе. Женщина обращается не к труду, а к мужчине, и его ответ состоит в том, чтобы «править» ею, взять над ней власть, стать ее хозяином. До этой перемены она находила свою независимость, защищенность и понимание добра и зла только во мне, как и мужчина.

— Неудивительно, что с Нэн я потерпел неудачу. Наверное, я не могу быть для нее всем этим.

— Ты и не был создан для этого. И, пытаясь делать это, ты всего лишь играешь в Бога.

Мак нагнулся, взял с земли плоский камешек и отправил скакать по воде.

— Есть ли какой-нибудь выход?

— Он прост, но нелегок для тебя. Он заключен в развороте. В повороте ко мне. В отказе от ваших способов осуществления власти и манипулирования другими. Просто вернись ко мне.— Иисус говорил, словно умоляя.— Женщины, в большинстве своем, сочтут сложным отвернуться от мужчины, прекратить требовать, чтобы он удовлетворял их нужды, обеспечивал им защиту, оберегал их индивидуальность, и вернуться ко мне. Мужчины, в большинстве своем, сочтут чрезвычайно трудным отказаться от своей работы, от собственных поисков власти, защищенности и значимости и вернуться ко мне.

— Я всегда задавался вопросом, почему мужчины несут ответственность,— размышлял вслух Мак.— Мужчины вроде бы причиняют больше всего боли в этом мире. Они виноваты в большинстве преступлений, многие из которых направлены против женщин и,— он помолчал,— детей.

— Женщины,— продолжал Иисус, он тоже поднял камешек и пустил его по воде,— отвернулись от нас ради других взаимоотношений, тогда как мужчины отвернулись ради самих себя и земли. Мир, во многих смыслах, был бы более спокойным и приятным местом, если бы правили женщины. Куда меньше детей было бы принесено в жертву богам жадности и власти.

— Значит, они сыграли бы эту роль лучше.

— Возможно, но этого все равно было бы недостаточно. Власть, сосредоточенная в руках независимого человека, будь то мужчина или женщина, развращает. Мак, разве ты не понимаешь, насколько исполнение ролей разнится с участием во взаимоотношениях? Мы хотели, чтобы мужчина и женщина были частями одного целого, равными, хотя каждый уникален и не похож на другого, различными, но взаимодополняющими, и индивидуальность каждого питала бы Сарайю, от которой проистекает всякая истинная сила и власть. Помни, я говорю не об участии в созданных человеком структурах и соответствии им, я говорю о подлинном бытии. Если ты вырастаешь во взаимосвязи со мной, то, что ты делаешь, является простым отражением того, кто ты есть на самом деле.

— Но ты же явился в образе мужчины. Разве это ни о чем не говорит?

— Говорит, но не о том, что многие предполагают. Я пришел в образе мужчины, чтобы завершить чудесную картину того, каким мы сотворили тебя. С самого первого дня мы спрятали женщину внутри мужчины, чтобы в нужный момент извлечь ее из него. Мы не создавали мужчину для того, чтобы он жил один, она с самого начала подразумевалась. Извлекая ее из него, мы в некотором смысле породили ее. Мы создали круг взаимозависимости, такой же, как наш собственный, но только для людей. Женщина вышла из мужчины, и теперь все мужчины, включая меня, рождаются через нее, и все происходят, рождаются, от Бога.

— О, понимаю, — перебил Мак. — Если бы женщина была создана первой, никакого круга взаимозависимости не возникло бы и, следовательно, не было бы возможности для полноправных и равных взаимоотношений между мужчиной и женщиной. Верно?

— Совершенно верно, Мак. — Иисус взглянул на него и улыбнулся. — Нашим желанием было создать существа, которые были бы полностью равными и сильными партнерами, мужчину и женщину. Однако ваша независимость с ее требованием власти и достижений разрушила взаимоотношения, к которым тяготеет ваша душа.

— Вот оно что,— произнес Мак, шаря по гальке и выбирая плоский камешек.— Все снова и снова возвращается к власти и тому, как она мешает отношениям, которые существуют между вами тремя. Мне хотелось бы их постичь, вместе с вами и с Нэн.

— Для этого мы и здесь.

— Мне бы хотелось, чтобы она тоже была здесь.

— О, это могло бы быть,— задумчиво протянул Иисус. Мак не понял, что он имеет в виду.

Они несколько минут посидели в тишине, не считая выдохов, с которыми запускали камешки, и шлепанья этих камешков по воде.

— Мне хотелось бы, чтобы ты запомнил одно, последнее, прежде чем отправишься.

Мак посмотрел на Иисуса с удивлением.

— Прежде чем отправлюсь?

Иисус пропустил его вопрос мимо ушей.

— Мак, смирение, как и любовь, это не то, что ты можешь рождать сам по себе. Без меня, живущего в тебе, ты не сумеешь смириться ни перед Нэн, ни перед детьми, ни перед кем в своей жизни, включая Папу.

— Ты хочешь сказать,— с легким сарказмом перебил Мак,— я не смогу просто взять и спросить: «А что сделал бы Иисус?»

Иисус усмехнулся.

— Намерения добрые, идея только никуда не годится. Дай мне знать, что у тебя получится, если ты изберешь такой способ.— Он помолчал и заговорил серьезно: — Моя жизнь вовсе не образец, которому необходимо следовать.

Быть моим последователем не значит «быть как Иисус», в таком случае твоя независимость будет уничтожена. Я пришел, чтобы дать тебе жизнь, подлинную жизнь, мою жизнь. Мы пришли, чтобы жить в тебе, чтобы ты сумел видеть нашими глазами, слышать нашими ушами, осязать нашими руками и думать так, как думаем мы. Однако мы никогда не станем навязывать тебе подобный союз. Если ты захочешь обойтись без нас, пожалуйста. Время на нашей стороне.

— Должно быть, это и есть ежедневное умирание, о котором говорила Сарайю,— произнес Мак и кивнул.

— Кстати, к вопросу о времени,— сказал Иисус, указывая на тропинку, которая уходила в лес от края поляны,— у тебя назначена встреча. Иди по этой тропинке до конца, там войдешь внутрь. Я буду ждать тебя.

Как бы сильно ему ни хотелось, Мак понимал, что нет смысла пытаться продолжить этот разговор. В молчании он натянул носки, надел ботинки, еще не успевшие высохнуть до конца. Поднявшись, он пересек поляну, задержался на минутку, чтобы еще раз взглянуть на водопад, перепрыгнул через ручей и вошел в лес по натоптанной тропинке.

Глава 11

Вот идет главный судия

*Кто бы ни предпринял попытку
сделаться судьей Истины и Знания,
он обречен услышать смех богов.*

— Альберт Эйнштейн —

*О, моя душа, будь готова к встрече с ним,
с тем, кто умеет задавать вопросы.*

— Т. С. Элиот —

Мак пошел по тропинке, которая вилась мимо водопада, уводя от озера через густую кедровую рощу. Меньше чем через пять минут она привела его к скале, на поверхности которой угадывались очертания двери. С сомнением он протянул руку и толкнул. Рука прошла насквозь, как будто и не было никакой скалы. Мак продолжал с опаской двигаться вперед, пока все его тело не прошло через, как казалось, плотную каменную поверхность. Внутри было черно, и он ничего не видел.

Вдохнув поглубже и выставив руки перед собой, он отважился сделать несколько шажков в чернильной тьме и остановился. Страх охватил его, он не мог решить, стоит идти дальше или лучше повернуть назад. Пока мышцы живота сжимались в комок, он снова ощутил Великую Скорбь, которая легла ему на плечи всем своим весом. Душа его отчаянно рвалась обратно, к свету, но он напомнил себе, что Иисус не отправил бы его сюда, не имея в виду какую-то благую цель. Он с усилием двинулся дальше.

Его глаза медленно преодолевали шок от перехода из дневного света в эту кромешную тьму, и минуту спустя он привык настолько, что рассмотрел коридор, сворачивающий куда-то налево. Пока он шел по нему, яркий свет оставшегося за спиной входа потускнел и его сменило отражающееся от стен слабенькое свечение, источник которого находился где-то впереди.

Через сотню футов тоннель еще раз повернул налево, и Мак остановился на пороге просторной пещеры, которая сначала показалась ему бескрайним открытым пространством. Иллюзия усиливалась и наличием единственного источника света, неярким сиянием, которое окружало его, рассеиваясь примерно в десяти футах во все стороны. За этим кругом света он не видел ничего, лишь темноту. Воздух в пещере был спертый и холодный, и ему приходилось прилагать усилия для каждого вдоха. Он посмотрел вниз и с облегчением заметил слабое отражение на полу, гладком и темном, словно вымощенном слюдой.

Храбро сделав шаг, он заметил, что круг света двинулся вместе с ним, освещая дорогу на шаг впереди. Чувствуя себя уже более уверенно, он начал медленно продвигаться в ту сторону, куда был обращен лицом, то и дело поглядывая на пол из опасения, что тот может внезапно разверзнуться прямо под ним. Он настолько был поглощен своим продвижением, что натолкнулся на какой-то предмет и чуть не упал.

Это оказалось деревянное кресло, с виду довольно удобное, стоявшее посреди... ничего. Мак тут же решил сесть и подождать. Пока он ждал, свет продолжал уходить вперед, как будто бы и сам Мак шагал дальше. Прямо перед собой он увидел довольно большой стол черного дерева, совершенно пустой. А затем, когда свет задержался, он даже подскочил от изумления, потому что увидел ее. За столом сидела высокая женщина с оливковой кожей и точеными испанскими чертами лица, одетая в темный ниспадающий балахон. Она сидела прямо и величественно, словно верховный судья. Она была так хороша, что захватывало дух.

«Вот это красота,— подумал он.— Вот чего силится достичь сладострастие, но никогда не достигает». В тусклом свете было трудно рассмотреть ее лицо, потому что волосы и воротник платья частично закрывали его. Ее глаза блестели и вспыхивали, словно порталы в бескрайнее звездное небо, отражая неведомый свет, источник которого находился внутри ее.

Мак не нарушал тишину, опасаясь, что голос все равно безответно потонет в пространстве. Он подумал только: «Я Микки-Маус, который собирается заговорить с Паваротти». Эта мысль заставила его усмехнуться. Словно разделяя его веселье от этого гротескного образа, она улыбнулась в ответ, и вокруг заметно посветлело. И тогда Мак уверился, что его здесь ждали. Она казалась странным образом знакомой, словно он мог встречать ее в прошлом, только он знал совершенно точно, что никогда не видел ее.

— Могу ли я спросить… кто ты? — запинаясь, проговорил Мак, и собственный голос до последнего звука показался ему похожим на голосок Микки-Мауса, он едва всколыхнул неподвижный воздух пещеры, а затем затих, словно эхо.

Она пропустила его вопрос мимо ушей.

— Ты понимаешь, для чего ты здесь? — Словно ветер, сметающий пыль, ее голос мягко выставил его вопрос из помещения.

Мак почти ощущал, как ее слова дождем падают ему на голову и стекают вдоль позвоночника, вселяя восторженную дрожь в каждую клеточку. Он решил, что никогда не заговорит снова. Он хотел только, чтобы говорила она, говорила с ним или с кем-то еще, лишь бы он мог присутствовать рядом. Однако она ждала ответа.

— Ты знаешь.— Его голос вдруг сделался насыщенным и звучным, Маку даже захотелось обернуться и посмотреть, кто это говорит. Но он почему-то понял, что произнесенное им — правда… что его слова прозвучали как правда.— Я понятия не имею,— прибавил он, снова запинаясь и устремляя взгляд в пол.— Мне никто не сказал.

— Что ж, Макензи Аллен Филлипс,— засмеялась она, заставив его вскинуть голову,— я здесь, чтобы тебе помочь.

Если у радуги или у цветка есть голос, то именно так звучал ее смех. Он походил на дождь света, на приглашение к беседе, и Мак засмеялся вместе с ней, даже не зная почему и не желая этого знать.

Наступила тишина, и нежное лицо женщины приобрело сосредоточенное выражение, словно она могла заглянуть в самую его суть, минуя все наносное и притворное, заглянуть в такие глубины, о которых редко, если вообще когда-либо, вспоминают.

— Сегодня очень важный день с очень важными последствиями.— Она помолчала, словно желая добавить веса и без того уже к почти физически тяжелым словам.— Макензи, ты здесь отчасти из-за своих детей, но еще ты здесь для того, чтобы...

— Моих детей? — перебил Мак.— Что ты хочешь этим сказать? Что это значит: я здесь из-за своих детей?

— Макензи, ты любишь своих детей так, как твой собственный отец никогда не умел любить тебя и твоих сестер.

— Конечно, я люблю своих детей. Все родители любят своих детей,— заявил Мак.— Но какое отношение это имеет к тому, что я здесь?

— В некотором смысле все родители любят своих детей,— отозвалась она, не обращая внимания на его второй вопрос.— Но иногда родители слишком сильно изломаны, чтобы любить их правильно, а некоторые вообще не способны любить их, это ты должен понимать. Но ты, ты любишь своих детей правильно, и это очень хорошо.

— Я во многом научился этому у Нэн.

— Мы знаем. Но ты же научился, верно?

— Полагаю, что так.

— Среди загадок изломанных человеческих душ одна из самых примечательных — умение впускать в себя перемены.— Она была спокойна, словно море в штиль.— Так вот, Макензи, могу я узнать у тебя, кого из детей ты любишь больше других?

Мак мысленно усмехнулся. По мере того как появлялись младшие дети, он сам не раз задавал себе этот вопрос.

— Я не люблю кого-то из них больше остальных. Я люблю каждого из них по-своему, — ответил он, осторожно подбирая слова.

— Объясни мне это, Макензи, — попросила она.

— Ну, каждый из моих детей уникален. И эта уникальность и ярко выраженная индивидуальность требуют от меня и индивидуального отклика. — Мак откинулся на спинку кресла. — Я помню, что чувствовал, когда родился Джон, мой первенец. Я был так захвачен мыслями об этой крошечной искре жизни, что начал по-настоящему волноваться, останется ли во мне хоть немного любви для второго ребенка. Однако когда появился Тайлер, было такое ощущение, будто он принес мне некий особенный дар, совершенно новый запас любви, предназначенный именно для него. Наверное, если подумать, именно это ощущает Папа, когда говорит, что «особенно» любит кого-нибудь. Когда я думаю о ком-то из моих детей в отдельности, я понимаю, что «особенно» люблю каждого из них.

— Прекрасно сказано, Макензи! — Похвала прозвучала весомо, затем женщина чуть подалась вперед, говоря по-прежнему мягко, но серьезно: — Но что, если они поступают плохо, или же делают выбор, который тебе не нравится, или ведут себя агрессивно и грубят? Что ты испытываешь, когда они позорят тебя перед другими? Как все это влияет на твою любовь к ним?

Мак ответил медленно и неохотно.

— На самом деле никак.— Он знал, что сказал сейчас правду, даже если Кейт иногда не верила этому.— Я признаю, что это влияет на меня, временами я сержусь или смущаюсь, но даже если они ведут себя плохо, они по-прежнему являются моими сыновьями и дочерьми, они по-прежнему Джош или Кейт и останутся ими навсегда. То, что они делают, возможно, задевает мою гордость, но не затрагивает моей любви к ним.

Она откинулась назад, сияя улыбкой.

— Ты мудр, как истинно любящий, Макензи. Многие верят, что любовь растет, но растет только понимание, а любовь просто расширяется, чтобы занять весь объем. Макензи, ты любишь своих детей, которых так хорошо понимаешь, удивительной, настоящей любовью.

Слегка смущенный ее похвалой, Макензи опустил глаза.

— Что ж, спасибо, но я далеко не всегда такой с другими людьми. Тогда моя любовь в большинстве случаев зависит от каких-то условий.

— Но это все равно начало, верно, Макензи? И ты не продвинулся бы дальше неспособности твоего отца любить, если бы не Бог и ты сам, вместе изменившие тебя, чтобы ты научился любить. И вот теперь ты любишь своих детей так, как Бог-Отец любит своих.

Мак невольно стиснул зубы, почувствовав, как в нем снова поднимается гнев. То, что ему следовало воспринять как ободряющую похвалу, показалось больше похожим на горькую пилюлю, которую он сейчас отказывался проглотить. Он постарался расслабиться, чтобы скрыть обуревавшие чувства, но по ее взгляду догадался, что уже слишком поздно.

— Хм,— задумчиво протянула она.— Что-то в моих словах задело тебя, Макензи?

От ее взгляда ему стало неуютно. Он казался себе выставленным на всеобщее обозрение.

— Макензи? — подбодрила она.— Ты хочешь что-то сказать?

На этот раз ее вопрос повис в тишине. Мак взял себя в руки. В его голове прозвучал совет матери: «Если не можешь сказать ничего приятного, лучше промолчи».

— Э... нет-нет! На самом деле ничего.

— Макензи, сейчас не время для житейских мудростей твоей матушки. Сейчас время для искренности, для правды. Ты не веришь, что Бог-Отец правильно любит своих детей? Ты не веришь, что Бог — это добро?

— А Мисси его ребенок? — выпалил Мак.

— Конечно! — ответила она.

— В таком случае нет! — взорвался он, вскакивая на ноги.— Я не верю, что Бог любит своих детей!

Он произнес это, и слова обвинения эхом отдались под сводами пещеры. Мак стоял разозленный, готовый выйти из себя окончательно, а женщина оставалась спокойной и неизменной в своей сдержанности. Она медленно поднялась со стула с высокой спинкой и поманила Мака к себе.

— Может, сядешь сюда?

— Неужели от слов правды под тобой накалился стул? — пробормотал он саркастически, не двинувшись с места.

— Макензи, в самом начале я говорила о причинах, по которым ты сюда пришел сегодня. Не только из-за детей. Ты здесь для суда.

Мака, словно волна, накрыл страх, и он поник в кресле. Он тотчас ощутил себя виноватым; воспоминания мелькали перед его мысленным взором, словно крысы, почувствовавшие, как поднимается вода. Он вцепился в подлокотники кресла, стараясь привести в равновесие образы и чувства. Он осознал свою несостоятельность как человеческого существа и в глубине души почти слышал, как чей-то голос зачитывает список его прегрешений, и страх разрастался по мере того, как список все удлинялся и удлинялся. Ему было нечем защищаться. Ему пришел конец, и он это знал.

— Макензи...— начала она, но он перебил.

— Теперь я понял. Я умер, правда? Вот почему я вижу Папу и Иисуса. Потому что я мертв! — Он откинулся на спинку кресла и поглядел наверх, в темноту, чувствуя, как судорога сводит кишечник.— Не могу поверить! Я даже ничего не почувствовал.— Он посмотрел на женщину, которая терпеливо наблюдала за ним.— И давно я мертв? — спросил он.

— Макензи,— начала она снова,— мне жаль тебя разочаровывать, но в своем мире ты даже не спишь, полагаю, ты просто не так по...— Мак снова ее перебил.

— Я не умер? — Не веря ей, он вскочил с кресла.— Все это происходит на самом деле? Ты вроде сказала, что я здесь для суда?

— Верно,— отозвалась она.— Но, Макензи...

— Суд? А я еще даже не умер? — в третий раз прервал он ее речь, осознав услышанное, и его страх сменился гневом.— Разве это справедливо?! — Он понимал, что эмоциями делу не поможешь.— Разве с другими так бывает? Чтобы их судили до того, как они умрут? А вдруг я раскаюсь? Вдруг до конца жизни я успею стать лучше? Вдруг я исцелюсь? Что тогда?

— А тебе есть в чем раскаиваться, Макензи? — спросила она, нисколько не лишившись спокойствия от его вспышки.

Мак снова сел в кресло. Он поглядел на гладкую поверхность пола и покачал головой, прежде чем ответить.

— Даже не знаю, с чего начать,— промямлил он.— У меня в душе такой беспорядок, правда?

— Именно так.— Он поднял голову, и женщина улыбнулась.— Просто изумительный, разрушительный беспорядок, Макензи, но ты здесь не для того, чтобы каяться. Во всяком случае, так, как ты думаешь. Ты здесь не для того, чтобы тебя судили.

— Но ты же сама сказала, что...

— ...ты здесь для суда? Сказала. Но только подсудимый здесь не ты.

Мак глубоко вздохнул, осознав ее слова.

— Ты сам будешь судьей!

Живот снова заныл, когда до Мака дошло, что она предлагает.

— Как? Я? Нет, я не могу.— Он помолчал.— У меня нет таких способностей.

— О, это совсем не так,— последовал быстрый ответ, в котором на сей раз слышался сарказм.— Ты уже показал себя в высшей степени способным даже за то короткое время, что мы провели вместе. Кроме того, за свою жизнь ты очень много судил. Ты судил поступки и даже мотивы, движущие другими людьми, как будто действительно знал, что ими движет. Ты судил цвет кожи, язык тела и его запах. Ты судил историю и взаимоотношения людей. Ты судил даже ценность человеческой жизни согласно своей собственной концепции прекрасного. По всем статьям, ты весьма опытен в подобного рода деятельности.

Мак чувствовал, как лицо его заливает краска стыда. Он вынужден был признать, что действительно в свое время судил немало. Но разве этим он сколько-нибудь отличался от других? Кто не составил бы суждения о других по тому, как они влияют на нас? И этот эгоцентричный взгляд на мир так у него и остался... Он поднял глаза и увидел, что она всматривается в него.

— Скажи мне,— попросила она,— если сможешь, на основании каких критериев ты выносишь свои суждения?

Мак попытался выдержать ее взгляд, но понял, что, когда она смотрит прямо в глаза, мысли у него расползаются и сохранять последовательное и ясное мышление он не в силах. Пришлось уставиться в темный угол пещеры, чтобы прийти в себя.

— Ничего такого, что имело бы смысл в данный момент,— наконец выдавил он.— Должен признать, что, когда я выносил свои суждения, я считал, что они вполне справедливы, но сейчас...

— Разумеется, считал.— Она произнесла это так, словно сообщила что-то обыденное, ни на секунду не заостряя внимания на его смущении.— Если ты судишь, требуется, чтобы ты ощущал свое превосходство над подсудимым. Что ж, сегодня тебе будет предоставлена возможность продемонстрировать свои способности в этом деле. Приступай,— произнесла она, похлопывая по спинке стула.— Я хочу, чтобы ты сел сюда. Прямо сейчас.

Мак неуверенно двинулся к ее стулу. С каждым шагом он как будто становился меньше... Или это она вместе со стулом делалась больше? Он так и не понял. Уселся на стул, ноги едва доставали до пола; он ощутил себя ребенком за массивным столом для взрослых.

— И о чем я буду судить? — спросил он, оборачиваясь, чтобы увидеть ее.

— Не о чем,— она помолчала и отошла к краю стола,— а кого.

Ощущение дискомфорта усиливалось, и сидеть на этом чрезмерно большом стуле было крайне неудобно. Какое право он имеет судить кого-то? Верно, он до какой-то степени виновен в том, что судил почти каждого, кого знал, и многих, кого не знал вовсе. Мак сознавал, что совершенно точно виновен в эгоцентризме. Все его суждения были поверхностными, основанными на внешних проявлениях и поступках, факты легко истолковывались в соответствии с его душевным состоянием, предвзятостью он подкреплял свое желание возвыситься над другими или ощутить защищенность или сопричастность.

И еще он понимал, что ему становится страшно.

— Твое воображение,— прервала она ход его мыслей,— в данный момент плохой помощник.

«Шутки кончились, Шерлок»,— вот все, что он подумал, но вслух слабо прозвучало:

— Я действительно не могу этого сделать.

— Что ты можешь, а чего не можешь, еще предстоит выяснить,— ответила она с улыбкой.— И зовут меня не Шерлок.

Мак был рад, что темнота помогла скрыть смущение. Последовавшее затем молчание, кажется, длилось гораздо дольше тех нескольких секунд, которые в действительности потребовались ему, чтобы сформулировать и задать вопрос:

— Так кого же я должен судить?

— Бога,— он выдержала паузу,— и человеческую расу.— Она сказала таким тоном, будто эти слова ничего особенно не значили. Они просто слетели с языка, словно подобное она предлагала всем и каждому чуть ли не каждый день.

Мак был потрясен.

— Ты, наверное, меня разыгрываешь! — воскликнул он.

— А почему нет? Наверняка в мире много людей, которые, как ты полагаешь, заслуживают суда. По меньшей мере должно существовать несколько человек, виновных в причинении боли и страданий. Как насчет толстосумов, которые обирают бедняков? Как насчет тех, кто отправляет детей воевать? А мужья, которые бьют своих жен, а, Макензи? Или отцы, истязающие сыновей только для того, чтобы утишить собственную боль? Разве они не заслуживают суда?

Мак чувствовал, как неутоленный гнев снова поднимается из самых глубин его существа. Он придвинулся к спинке стула, пытаясь удержаться под наплывом образов, но почувствовал лишь, как самообладание покидает его. Мышцы живота окаменели, руки сжались в кулаки, дыхание сделалось мелким и отрывистым.

— А как начет того человека, который охотится за невинными маленькими девочками? Как быть с ним, Макензи? Этот человек виновен? Нужно ли его судить?

— Да! — закричал Мак.— Пусть горит в аду!

— Он виновен в твоей потере?

— Да!

— А его отец, человек, который превратил жизнь сына в кошмар, как быть с ним?

— Да, он тоже виновен!

— Как далеко мы зайдем, Макензи? Ведь это наследие изломанных душ тянется к самому Адаму, как же быть с ним? Да и зачем останавливаться? Как насчет Бога? Бог начал все это. Бог виноват?

Голова Мака шла кругом. Он вовсе не чувствовал себя судьей, скорее, сам был подсудимым.

Женщина была неумолима.

— Разве не на этом месте ты увяз, Макензи? Разве не это питает твою Великую Скорбь? Что Богу нельзя верить? Конечно же, такой отец, как ты, имеет право судить главного Отца!

И снова гнев всколыхнулся в нем, как раздутое пламя. Он хотел возмутиться, но она была права, и не было смысла это отрицать.

Она продолжала:

— Разве ты не жаловался, Макензи, что Господь предал тебя, предал твою Мисси? Что еще до Творения Бог знал, что однажды Мисси погибнет, но все равно создал мир? А затем позволил некой извращенной душе вырвать ее из твоих любящих объятий, когда ты был не в силах этому помешать. Разве Бог не виноват, Макензи?

Мак смотрел в пол, и противоречивые чувства раздирали его душу. Наконец он наставил на нее палец и произнес громче, чем намеревался:

— Да! Бог виноват!

— В таком случае,— произнесла она,— раз ты способен так легко судить Бога, ты, конечно, сможешь судить и весь мир.— Она произнесла это без всяких эмоций.— Ты должен выбрать двух своих детей, которые проведут вечность на новых Небесах Бога и на новой земле, но только двух.

— Что? — взорвался Мак, поворачиваясь к ней недоверчиво.

— И выбрать троих своих детей, которые проведут вечность в аду.

Мак не верил своим ушам, ему снова стало страшно.

— Макензи.— Ее голос сейчас звучал так же чарующе, как тогда, когда он услышал его в первый раз,— я всего лишь прошу тебя сделать то, что, по твоему разумению, делает Бог. Он знает всех, кто когда-либо существовал, и понимает их гораздо глубже и яснее, чем ты когда-нибудь поймешь своих детей. Он любит каждого в соответствии со своим пониманием того, что это его сын либо дочь. Ты считаешь, что он отправит большинство из них на вечные мучения, прочь от себя, лишив своей любви. Разве не так?

— Наверное, так. Я просто никогда не рассматривал этот вопрос с такой стороны. Я только полагал, что Бог каким-то образом может это сделать. Разговоры об аде всегда были просто отвлеченными разговорами, они не касались никого, кого я в действительности...— Мак колебался, понимая: то, что он сейчас скажет, будет звучать гадко,— ...тех, кто меня по-настоящему заботит.

— В таком случае ты считаешь, что Богу это просто, а тебе нет? Давай, Макензи. Которых из пяти ты отправишь на вечные мучения? Вот Кейт постоянно с тобой пререкается. Она плохо к тебе относится, много раз говорила то, что тебя задевает. Наверное, она первый кандидат. Как насчет нее? Ты же судья, Макензи, ты должен выбирать.

— Я не хочу быть судьей,— сказал он, поднимаясь со стула.

Этого не могло быть на самом деле. Как можно требовать, чтобы он, Мак, выбирал из своих детей? Как он сможет приговорить Кейт или кого-то другого к вечности в аду только потому, что они согрешили против него. Даже если бы Кейт, Джош, Джон или Тайлер совершили какое-нибудь жуткое преступление, он и тогда не стал бы этого делать. Он не смог бы! Для него главным было не их поведение, а его любовь к ним.

— Я не могу этого сделать,— произнес он тихо.

— Ты должен,— ответила она.

— Я не могу этого сделать,— повторил он громче и с большим жаром.

— Ты должен,— повторила она еще более мягким голосом.

— Я... не стану... этого... делать! — прокричал Мак, и кровь в нем вскипела.

— Ты должен,— прошептала она.

— Я не могу. Не могу. И не стану! — На этот раз из него выплеснулись слова и чувства. Женщина же просто стояла и ждала. Наконец он поднял на нее умоляющий взгляд.— Можно мне пойти вместо них? Если нужно кого-то обречь на вечные муки, почему не меня? — Он упал к ее ногам, плача.— Прошу, пустите меня вместо детей, пожалуйста, я буду счастлив... Прошу вас, умоляю. Пустите меня... Пожалуйста...

— Макензи, Макензи,— прошептала она, и ее слова были как плеск прохладной воды в знойный день. Ее руки нежно коснулись его щек, и она подняла его с колен. Глядя сквозь пелену слез, он видел на ее лице сияющую улыбку.— Теперь ты говоришь как Иисус. Ты правильно судил, Макензи. Я тобой горжусь!

— Но я вовсе не судил,— в смятении отозвался Мак.

— О, ты судил. Ты рассудил, что они заслуживают любви, даже если тебе это будет стоить всего. Так любит Иисус.— Услышав эти слова, он подумал о своем новом друге, который дожидается его на берегу озера.— И теперь ты понимаешь сердце Папы,— прибавила она,— которая любит своих детей правильно.

Сейчас же у него в мозгу всплыл образ Мисси, и он весь как будто ощетинился.

— Что сейчас произошло, Макензи? — спросила она. Он не видел смысла скрывать.

— Я понимаю любовь Иисуса, но Бог совсем другое дело. Я не считаю, что они хоть в чем-то похожи.

— Тебе не понравилось общаться с Папой? — спросила она удивленно.

— Напротив, мне нравится Папа, кто бы она ни была. Она милая, но она нисколько не похожа на того Бога, которого я знаю.

— Может быть, твое понимание Бога ошибочно.

— Может быть. Я просто не понимаю, как это Бог правильно любил Мисси.

— Значит, суд продолжается? — спросила она с тоской в голосе.

Мак замолчал, но лишь на секунду.

— А что еще мне думать? Я не понимаю, как Бог мог любить Мисси и допустить такой ужас. Она была невинна. Она не сделала ничего, чтобы заслужить подобное.

— Я знаю.

Мак продолжал:

— Или Бог использовал ее, чтобы наказать меня за то, что я сделал с отцом? Это несправедливо. Она этого не заслужила. И Нэн этого не заслужила. — Слезы катились по его лицу. — Я, наверное, заслужил, но только не они.

— Так вот какой у тебя Бог, Макензи? Тогда не удивительно, что ты тонешь в своей скорби. Папа не такая, Макензи. Она не наказывала ни тебя, ни Мисси, ни Нэн. Это не деяние Бога.

— Но он этого не предотвратил.

— Нет, не предотвратил. Он не предотвращает многие поступки, которые причинят ему боль. Ваш мир серьезно изуродован. Вы требовали себе независимости, а теперь сердитесь на того, кто любит вас настолько, что дал ее вам. Ничего подобного не должно было быть, по замыслу Папы, и однажды все это прекратится. А пока что ваш мир утопает в темноте и хаосе, и кошмарные события происходят с теми, кого он особенно любит.

— Тогда почему он ничего не предпринимает?

— Он уже...

— Ты имеешь в виду Иисуса?

— Ты видел раны на руках Папы?

— Я не понял, откуда они. Как он смог...

— Из любви. Он избрал крестный путь, на котором милосердие торжествует над справедливостью во имя любви. Или ты предпочел бы, чтобы он выбрал справедливость для всех? Ты хочешь справедливости, «дорогой Судия»? — и при этих словах она улыбнулась.

— Нет, не хочу, — ответил он, опуская голову. — Ни для себя, ни для своих детей.

Она ждала продолжения.

— Но я все равно не понимаю, почему Мисси должна была умереть.

— Она не должна была, Макензи. Это не было планом Папы. Папа не нуждается в зле, чтобы осуществить свои благие устремления. Это вы, люди, раскрыли объятия злу, а Папа отвечает добром. То, что случилось с Мисси, было делом зла, и никто в вашем мире не защищен от него.

— Но это так больно. Должен быть лучший способ.

— Он есть. Просто пока ты его не видишь. Отвернись от своей независимости, Макензи. Перестань быть судьей и пойми, кто такой Бог. Тогда ты сможешь принять его любовь в своей горести, вместо того чтобы отталкивать его от себя в своем эгоистичном понимании того, какой должна быть, по-твоему, вселенная. Господь проник в твой мир, чтобы быть с тобой и с Мисси.

Мак поднялся со стула.

— Я больше не хочу быть судьей. Я хочу верить Папе.— Незаметно для Мака в пещере снова посветлело, и он двинулся вокруг стола к креслу, в котором сидел сначала.— Но мне потребуется помощь.

Она приблизилась к Маку и обняла его.

— Вот теперь это похоже на начало дороги домой, Макензи.

Тишину пещеры внезапно нарушил детский смех. Казалось, он исходил от стены, которую Мак теперь явственно различал. Он посмотрел на стену, ее поверхность становилась все прозрачнее, и дневной свет просачивался сквозь нее. Вздрогнув, Мак узнал в дымке силуэты детей, играющих в отдалении.

— Это смех моих детей! — воскликнул он, потрясенный до глубины души.

Он двинулся к стене, дымка разошлась, как будто кто-то раздернул занавески, и Мак неожиданно осознал, что видит луг за озером. Прямо перед ним вздыбилась покрытая снежной шапкой гора, прекрасная в своем величии, поросшая густым лесом. У ее подножия он отчетливо видел хижину, где, как он знал, его дожидаются Папа и Сарайю. Широкий поток воды падал неизвестно откуда прямо перед ним и вливался в озеро, пробегая через луг с горными цветами и травами. Отовсюду неслось птичье пение, а в воздухе стояло сладостное летнее благоухание.

Все это Мак увидел, услышал и ощутил в один момент, а затем его взгляд привлекла группа детей, играющих рядом с водоворотом в том месте, где поток впадал в озеро, в каких-то пятидесяти ярдах. Он узнал Джона, Тайлера, Джоша и Кейт. Но стоп! Там еще кто-то!

Двигаясь в их сторону, он натолкнулся на невидимую преграду, словно каменная стена по-прежнему была тут, только стала прозрачной. А потом он увидел...

— Мисси!

Да, это была она, шлепала босыми ногами по воде. Словно услышав, Мисси отделилась от остальных и побежала по тропинке, которая заканчивалась прямо перед ним.

— Боже мой, Мисси! — закричал он и попытался сделать шаг вперед, сквозь разделяющую их преграду. К его ужасу, он столкнулся с силой, которая не давала приблизиться к ней, как будто магнитное поле толкало его в глубь пещеры тем сильнее, чем сильнее давил он сам.

— Она тебя не слышит.

Маку было наплевать.

— Мисси! — звал он.

Она была так близко. Воспоминания, которые он с таким упорством старался не растерять, но которые тем не менее постепенно ускользали, сейчас вернулись. Он искал взглядом хоть какую-нибудь ручку, или кнопку, или замок, который можно было бы открыть и прорваться туда, к дочери. Но ничего подобного не было.

А Мисси тем временем остановилась прямо напротив него. Ее взгляд был явно устремлен не на Мака, а на что-то между ними, что-то огромное и, судя по всему, видное ей, но не ему.

Мак прекратил борьбу с силовым полем и повернулся к женщине.

— Она меня видит? — спросил он в отчаянии.— Знает, что я здесь?

— С ее стороны виден только прекрасный водопад, и ничего больше. Однако она знает, что ты находишься за ним.

— Водопады! — воскликнул Мак, смеясь.— Вечно она не могла налюбоваться на водопады!

Он не в силах был оторвать взгляд от Мисси. Старался запомнить до последней черточки ее лицо, волосы, руки. Она вдруг широко улыбнулась, на щеках заиграли ямочки. Он видел, как ее губы медленно произносят слова: «Все хорошо, я...— теперь она рисовала слова в воздухе,— тебя люблю».

Это было уже слишком, и Мак разрыдался. Он смотрел на Мисси сквозь водопад своих слез. Это было так больно, видеть, как она стоит в своей обычной позе: одна нога выставлена вперед, кисть тыльной стороной упирается в бок.

— Ей действительно хорошо, правда?

— Лучше, чем ты думаешь. Эта жизнь всего лишь преддверие великой реальности. Никто не достигает верха своих способностей в этом мире. Это просто подготовка к тому, что было задумано Папой.

— А можно мне пойти к ней? Всего одно объятие, только один поцелуй? — взмолился он тихо.

— Нет. Она сама захотела, чтобы было именно так.

— Она сама так захотела? — Мак был смущен.

— Да, она очень мудрое дитя, наша Мисси. Я ее особенно люблю.

— А ты уверена, что она знает о моем присутствии?

— Да, совершенно уверена. Она с большим волнением ждала дня, когда сможет поиграть со своими братьями и сестрой и побыть рядом с тобой. Ей бы очень хотелось, чтобы и ее мама была здесь, но с этим придется подождать до следующего раза.

Мак повернулся к женщине:

— А остальные мои дети действительно здесь?

— Они и здесь, и не здесь. Только Мисси по-настоящему здесь. Остальные видят сон, и у каждого останутся смутные воспоминания об этом событии, у кого-то более ясные, чем у других, но ни у кого нет полной картины. Это мирный сон для всех них, кроме Кейт. Для нее этот сон не будет легким. Зато Мисси бодрствует в полной мере.

Мак следил за каждым жестом его драгоценной Мисси.

— Она простила меня? — спросил он.

— Простила за что?

— Я же ее подвел,— шепотом ответил он.

— Прощать в ее природе, она бы простила, если бы было за что прощать, но этого нет.

— Но я же не помешал убийце увезти ее. Он схватил ее, когда меня не было рядом...— Голос его сорвался.

— Если помнишь, ты в это время спасал сына. Только ты один в целой вселенной уверен, будто в чем-то виноват. Мисси в это не верит, и Нэн не верит, и Папа. Наверное, настало время отринуть эту ложь. Кроме того, Макензи, даже если бы ты был в чем-нибудь виноват, ее любовь больше любой твоей возможной вины.

Как раз в этот момент кто-то окликнул Мисси, она восторженно вскрикнула и побежала на голос, но вдруг остановилась и повернулась к Маку. Широко раскинула руки, словно обнимая его, и, закрыв глаза, изобразила поцелуй. За своей преградой он «обнял» ее в ответ. Мгновение она стояла неподвижно, словно понимая, что передает ему в дар воспоминания, помахала рукой, повернулась и побежала дальше.

Теперь Мак ясно увидел того, кто звал Мисси. Это Иисус играл с детьми. Нисколько не колеблясь, Мисси кинулась к нему в объятия. Иисус покружил ее, прежде чем снова поставить на землю, а потом все смеялись, выискивая плоские камешки, которые так удобно запускать по озерной глади. Их радостные голоса были настоящей симфонией для Мака, и пока он смотрел, слезы вольно текли по его щекам.

Вдруг, без всякого предупреждения, наверху заревела вода, обрушилась прямо перед ним, заслоняя и вид, и голоса детей. Он инстинктивно отскочил назад. Теперь он понял, что стены пещеры исчезли и он стоит в гроте позади водопада.

Мак почувствовал руку женщины у себя на плече.

— Все кончилось? — спросил он.

— Пока что,— ответила она мягко.— Макензи, суд не для того, чтобы уничтожать, а для того, чтобы исправлять.

Мак улыбнулся.

— Я больше не чувствую себя увязнувшим в грязи.

Она легонько подтолкнула его к краю водопада, и он снова увидел Иисуса и всех остальных, запускающих камешки.

— Кажется, тебя кое-кто ждет.

Ее руки чуть сжали его плечи, а затем исчезли, и Мак понял, не глядя, что она ушла. Осторожно перелезая через скользкие валуны и ступая по мокрым булыжникам, он нашел тропинку в обход водопада и сквозь освежающую завесу водяных брызг выбрался к свету дня.

Изможденный, но совершенно удовлетворенный, он постоял немного, закрыв глаза, стараясь запечатлеть в душе образ Мисси до последней детали, чтобы потом была возможность в любой момент вернуть ее обратно, всю, до последней черточки, до последнего жеста.

И внезапно он очень сильно заскучал по Нэн.

Глава 12

Во чреве китовом

*Люди никогда не вершат зло в такой полноте
и с такой готовностью, как когда делают
это из религиозных побуждений.*

— Блез Паскаль —

*Стоит уничтожить Бога,
и Богом станет правительство.*

— Г. К. Честертон —

Возвращаясь к берегу озера, Мак вдруг понял, что ему чего-то не хватает. Его вечная спутница, Великая Скорбь, исчезла. Как будто ее смыло брызгами, пока он выбирался из водопада. Отсутствие Скорби воспринималось как-то странно, ему было даже не по себе.

«Привычное — это миф», — подумал он.

Великая Скорбь больше не будет частью его существа. Он знал теперь, что Мисси это не огорчит. В самом деле, она вовсе не хочет, чтобы он закутывался в этот саван, и будет горевать, если он так поступит. Интересно, каково это — жить день за днем без чувства вины и отчаяния, которые высасывали краски жизни из всего вокруг?

Дойдя до края поляны, он увидел, что Иисус ждет его, продолжая кидать камешки в озеро.

— У меня рекорд — тринадцать «блинчиков».— Смеясь, он двинулся навстречу Маку.— Но Тайлер обошел меня на три, а Джош запустил один с такой скоростью, что мы все сбились со счета.— Они обнялись, и Иисус добавил: — У тебя совершенно особенные дети, Мак. Вы с Нэн любили их очень правильно. Кейт борется, как ты знаешь, но мы еще не закончили.

Простота и душевность, с какой Иисус говорил о его детях, глубоко тронула Мака.

— Значит, они ушли?

Иисус отстранился от него и кивнул.

— Да, вернулись в свои сны, за исключением, разумеется, Мисси.

— А она...— начал Мак.

— Она была рада быть с тобой рядом, и еще она в восторге от того, что тебе лучше.

Маку было нелегко держать себя в руках. Иисус понял и сменил тему.

— Ну, как тебе понравилось общаться с Софией?

— София? А, так вот кто это был! — воскликнул Мак. Затем на его лице появилось озадаченное выражение.— Но разве тогда вас получается не четверо? Она ведь тоже Бог?

Иисус засмеялся.

— Нет, Мак. Нас только трое. София — это персонификация мудрости Папы.

— А, это как в Притчах, где мудрость изображают женщиной, которая ходит по улицам в поисках того, кто захочет ее выслушать?

— Да, это она.

— Но,— Мак замолчал, наклонившись, чтобы развязать шнурки на ботинках,— она кажется такой настоящей.

— Она очень даже настоящая,— ответил Иисус. Затем он огляделся по сторонам, словно думал, будто кто-то подсматривает за ними, и прошептал: — Она часть той тайны, которая окутывает Сарайю.

— Как я люблю Сарайю! — воскликнул Мак, распрямляясь, несколько удивленный собственной откровенностью.

— И я! — многозначительно отозвался Иисус.

Они вышли на берег и молча постояли, глядя на хижину.

— Встреча с Софией была ужасной и вместе с тем чудесной,— ответил Мак на заданный Иисусом в самом начале вопрос. Он вдруг понял, что солнце еще стоит высоко.— А сколько времени меня не было?

— Меньше пятнадцати минут. Не так уж долго.— Видя озадаченный взгляд Мака, Иисус прибавил: — Время, проведенное с Софией, течет не как нормальное время.

— Гм,— пробормотал Мак.— Сомневаюсь, что она хоть в чем-то нормальная.

— На самом деле,— начал Иисус и сделал паузу, чтобы запустить по воде последний камешек,— она-то как раз совершенно нормальная и очень простая. Но поскольку вы потерянные и независимые, вы привносите в нее массу сложностей, и в результате находите даже ее простоту запутанной.

— Значит, это я сложный, а она простая? Ничего себе! Весь мой мир перевернулся с ног на голову.— Мак уже сидел на бревне и снимал ботинки и носки, готовясь к прогулке в обратном направлении.— Можешь ты мне объяснить кое-что? Сейчас день в разгаре, а мои дети были там во сне? Как это получается? Здесь хоть что-нибудь происходит по-настоящему? Или я тоже сплю?

Иисус снова засмеялся.

— Хочешь знать, как это получается? Не спрашивай, Мак, закружится голова. Все это как-то связано со слиянием временных факторов. Скорее, это по части Сарайю. Время, как ты понимаешь, не является преградой для того, кто его создал. Можешь спросить у нее, если хочешь.

— Нет, наверное, я смогу обойтись и без этого вопроса. Мне просто стало любопытно.

— Ну а что касается вопроса: «Хоть что-нибудь здесь происходит по-настоящему?», то здесь все даже более настоящее, чем ты можешь себе представить.— Иисус выдержал паузу, чтобы Мак сосредоточился.— Правильный вопрос был бы: «Что именно настоящее?»

— Я прихожу к выводу, что не имею на этот счет ни малейшего понятия,— признался Мак.

— Все это стало бы менее «настоящим», если бы происходило во сне?

— Наверное, я был бы разочарован.

— Почему? Мак, там происходит гораздо больше, чем ты в состоянии воспринять. Позволь заверить, что все там более чем настоящее, гораздо более настоящее, чем жизнь, какой ты ее знаешь.

Мак колебался, но затем рискнул произнести:

— Одно по-прежнему беспокоит меня, насчет Мисси...

Иисус подошел и сел рядом на бревно. Мак подался вперед и уперся локтями в колени, глядя вниз, на гальку под ногами. Затем он договорил:

— Я все время думаю, как она была в той машине совсем одна, перепуганная...

Иисус придвинулся к нему, положил руку на плечо и легонько сжал. Сказал мягко:

— Мак, она не была одна. Я никогда не покидал ее, мы не расставались с ней ни на мгновение. Я не мог бы покинуть ее или тебя, точно так же, как не могу покинуть себя самого.

— А она знала, что ты с ней?

— Да, Мак, она знала. Не сразу, сначала страх был слишком силен, и она была потрясена. Ушло несколько часов на дорогу от лагерной стоянки до этого места. Однако Сарайю окутывала ее, и Мисси успокоилась. А долгая поездка дала нам возможность поговорить.

Мак силился осмыслить услышанное. Он был не в состоянии произнести ни слова.

— Пусть ей всего шесть лет, но мы с Мисси друзья. Мы разговариваем. Она понятия не имела, что произойдет. На самом деле она больше переживала о тебе и остальных, понимая, что вы никак не можете ее найти. Она молилась за вас, за спокойствие вашей души.

Мак зарыдал, слезы снова покатились по его щекам. На этот раз он не пытался их скрывать. Иисус мягко притянул его к себе и заключил в объятия.

— Мак, не думаю, что тебе нужно знать все подробности. Я уверен, они ничем не помогут. Могу сказать только, что не было такого мига, когда я не был бы с ней рядом. Она была умиротворенной, и ты гордился бы ею. Она была такой храброй!

Слезы лились по-прежнему, но сейчас Мак понимал, что это уже другие слезы. Он больше не был одинок. Без всякого смущения он рыдал на плече человека, любить которого был рожден. С каждым всхлипом он ощущал, как напряжение скатывается с него, сменяясь глубинным ощущением освобождения. Наконец он набрал полные легкие воздуха, судорожно выдохнул и поднял голову.

Затем, не говоря больше ни слова, встал, закинул ботинки за плечо и вошел в воду. Он удивился, с первого же шага ощутив озерное дно, и вода поднялась сразу по щиколотку, но он не задумался над этим. Остановился, закатал штанины выше колен, на всякий случай, и сделал еще один шаг в обжигающе холодной воде. На этот раз вода дошла до середины икры, а миг спустя до колена, причем он по-прежнему шагал прямо по озерному дну. Он обернулся и увидел, что Иисус стоит на берегу, скрестив руки на груди, и наблюдает.

Мак отвернулся и посмотрел на противоположный берег. Он не знал, почему на этот раз не получается, но был твердо намерен продолжать. Иисус здесь, так что ему не о чем беспокоиться. Перспектива долгого заплыва в ледяной воде не особенно прельщала, однако Мак был уверен, что сумеет переплыть озеро, если придется.

По счастью, когда он сделал следующий шаг, вместо того чтобы погрузиться еще глубже, он немного поднялся, и поднимался с каждым последующим шагом, пока снова не оказался на самой поверхности воды. Иисус присоединился, и они двинулись в сторону хижины.

— Тебе не кажется, что всегда получается лучше, когда мы делаем это вместе? — спросил Иисус, улыбаясь.

— Похоже, мне еще многому предстоит научиться.— Мак улыбнулся в ответ. Он понял, что ему все равно, плыть или же идти вот так — главное, чтобы Иисус был рядом. Наверное, он в конце концов начал верить, пусть это и были всего лишь первые робкие шаги.

— Спасибо, что был возле меня, беседовал со мной о Мисси. Ведь я же ни с кем не говорил об этом. Кажется, теперь отчаяние не держит меня с такой силой, как прежде.

— Тьма скрывает истинный размер страхов, лжи и сожалений,— пояснил Иисус.— Но они скорее тени, чем реальность, поэтому кажутся больше в темноте. Когда же в те глубины души, где они обитают, попадает луч света, ты начинаешь понимать, что они в действительности такое.

— Но почему все мы стараемся спрятаться там? — спросил Мак.

— Думаем, что там безопаснее. И если ты ребенок, который пытается выжить, там действительно безопаснее. Затем снаружи ты вырастаешь, но тот, кто внутри, так и остается ребенком в темной пещере, окруженным чудовищами, и по привычке ты пополняешь их коллекцию. Все мы собираем то, что для нас ценно, помнишь?

Мак невольно улыбнулся. Он понял, что Иисус имеет в виду слова Сарайю насчет коллекционирования слез.

— Так как же все меняется для тех, кто потерялся в темноте, ну, как я?

— Чаще всего очень медленно, — ответил Иисус. — Помни, один ты не справишься. Некоторые пытаются с помощью разных защитных механизмов и ментальных игр. Только чудовища все равно не уходят, просто дожидаются момента, чтобы явиться.

— И что же мне делать теперь?

— То, что ты уже делаешь, Мак, учиться жить любимым. Это не так-то просто для человека. Ему тяжело делиться чем бы то ни было. Да, все, чего мы хотим, это чтобы он вернулся к нам. Затем мы поселимся у него в душе, станем с ним одним целым. Эта дружба настоящая, а не воображаемая. Она жизнь на всех, один путь. Тебе придется разделять нашу мудрость и учиться любить нашей любовью, а нам предстоит... выслушивать твое ворчание, нытье и жалобы... и еще...

Мак громко засмеялся и пихнул Иисуса в бок.

— Стой! — закричал Иисус и замер на месте. Сначала Мак подумал, что, возможно, обидел его, но Иисус напряженно всматривался в воду. — Ты видел? Смотри, вот она, снова подплывает!

— Кто? — Мак подошел и, прикрыв глаза от солнца, попытался разглядеть, на что смотрит Иисус.

— Смотри! Смотри! — шепотом заговорил Иисус. — Она прекрасна! Наверное, целых два фута в длину! — И тогда Мак увидел ее, громадную форель, скользящую всего в паре футов у них под ногами, явно не подозревающую, сколько эмоций она вызвала над поверхностью воды.

— Уже несколько недель пытаюсь ее поймать, и вот она теперь меня дразнит, — засмеялся Иисус.

Мак в изумлении смотрел, как Иисус заметался из стороны в сторону, пытаясь не отстать от рыбины, но в итоге сдался. Он был взволнован, словно ребенок.

— Ну, разве она не великолепна? Наверное, мне никогда ее не поймать.

Мак был сбит с толку всей этой сценой.

— Иисус, почему бы тебе просто не приказать ей... ну, не знаю, прыгнуть прямо в лодку или заглотить крючок? Разве ты не повелитель всего сущего?

— Конечно.— Иисус наклонился и провел пальцами по воде.— Но какая в том будет радость, а? — Он поднял голову и засмеялся.

Мак не знал, что ему делать, тоже смеяться или плакать. Но он понял, что очень любит этого человека, человека, который еще и Бог. Иисус вернулся к нему, и они продолжили свое путешествие к причалу. Мак отважился еще на один вопрос.

— Можно узнать, почему ты не рассказывал о Мисси раньше, хотя бы вчера, или год назад, или...

— Не думай, что мы не пытались. Ты не заметил, что в своей горести ты думал обо мне самое худшее? Я говорил с тобой очень долго, но только сегодня ты в первый раз услышал меня, хотя и раньше мои разговоры с тобой вовсе не были пустой тратой времени. Необходимо подготовить почву, если хочешь посеять в нее семя.

— Я не совсем понимаю, отчего мы так сильно сопротивляемся тебе,— задумчиво произнес Мак.— Теперь мне кажется, что это так глупо.

— Все связано со временем, подходящим для милосердия, Мак,— продолжал Иисус.— Если бы во вселенной было всего одно человеческое существо, выбрать время было бы просто. Но стоит появиться еще одному, ну, ты знаешь эту историю. Каждый сделанный выбор волной проходит через время и взаимоотношения, отчего рябь идет и по выбору других. И из того, что представляется чудовищной неразберихой, Папа сплетает изумительный гобелен. Только Папа в силах разобраться во всем этом, и она делает это с непередаваемым изяществом.

— Значит, все, что мне остается, это следовать за ней,— заключил Мак.

— Вот именно. В этом-то все и дело. Теперь ты начинаешь понимать, что такое быть настоящим человеком.

Они подошли к причалу, Иисус запрыгнул наверх и обернулся, чтобы помочь Маку. Они сели на краю и принялись болтать босыми ногами в воде, наблюдая, как ветер гонит рябь по озерной глади. Мак первым нарушил молчание.

— Я видел Небеса, когда видел Мисси? Было очень похоже.

— Что ж, Мак, наша конечная цель — вовсе не та картина рая, которая засела у тебя в голове, ну, ты сам знаешь, всякие там жемчужные ворота и улицы, выложенные золотом. На самом деле это заново очищенная вселенная, так что все действительно выглядит во многом так, как ты видел сегодня.

— А как же тогда жемчужные ворота и всякая золотая дребедень?

— Эта «дребедень», брат мой,— начал Иисус, ложась на причал и прикрывая глаза от яркого теплого солнца,— суть картина, изображающая меня и женщину, которую я люблю.

Мак посмотрел на него, чтобы понять, не шутит ли он, но, совершенно очевидно, Иисус говорил серьезно.

— Это портрет моей невесты, Церкви: личностей, вместе образующих духовный город, через который протекает живая река, а по ее берегам растут деревья с плодами, способными исцелять боль и страдания целых народов. И город этот всегда открыт, и каждые ворота в нем сделаны из одной цельной жемчужины...— Он размежил веки и посмотрел на Мака.— И это все я! — Он прочел в глазах Мака вопрос и пояснил: — Жемчужины, Мак. Единственные драгоценности, порожденные болью, страданием и в конечном итоге смертью.

— Я понял. Ты — путь туда, но...— Мак замолчал, подыскивая правильные слова.— Ты говорил о Церкви, как о женщине, которую любишь, а я точно знаю, что ее не встречал. Она не то место, где я бываю по воскресеньям.— Мак сказал это больше самому себе, не зная, стоило ли высказывать подобную мысль вслух.

— Мак, это оттого, что ты видел только институт, созданную людьми систему. Это не то, что я пришел построить. То, что я вижу — это люди и их жизни, живое, дышащее сообщество тех, кто любит меня, а не постройки и программы.

Мак несколько оторопел, когда Иисус заговорил о церкви такими словами, но это опять не особенно его удивило. Это было облегчением.

— Но как же я могу стать частью твоей Церкви? — спросил он.— Частью этой женщины, от которой ты, кажется, без ума.

— Это просто, Мак. Все это опять-таки связано со взаимоотношениями и зависимой жизнью. Мы открыты и доступны для всех, кто рядом с нами. Моя Церковь, она вся для людей и жизни, вся держится на взаимоотношениях. Ты сам не можешь ее построить. Это моя работа, и я прекрасно делаю ее,— сказал Иисус, посмеиваясь.

Для Мака эти слова стали глотком свежего воздуха! Как просто. Ни секунды утомительного труда и длинного списка требований, никакого сидения на бесконечных службах и глядения в затылок соседям, людям, с которыми ты даже не знаком. Просто разделить свою жизнь с другими.

— Но погоди...

У Мака было полным-полно вопросов. Может быть, он что-то неверно понял. Это кажется слишком простым! Он снова одернул себя. Может быть, оттого что люди настолько безоговорочно потеряны и независимы, они и берут что-нибудь простое и усложняют его? Поэтому он дважды подумал, прежде чем спрашивать о том, что уже начал понимать. Вывалить сейчас свои вопросы — все равно что швырнуть ком грязи в кристально чистое озеро.

— Нет, ничего.— Вот и все, что он сказал вслух.

— Мак, тебе вовсе не нужно все это понимать. Просто будь со мной.

Спустя секунду Мак решил последовать примеру Иисуса, он лег на спину рядом с ним, рукой прикрыв глаза от солнца, стоявшего в зените, чтобы можно было смотреть на облака, уносящие с собой последние утренние часы.

— Что ж, если честно,— признался он,— я не особенно расстроен, что мне не достанутся «улицы, выложенные золотом». Мне всегда казалось, что это как-то неинтересно и совсем не так чудесно, как быть здесь вместе с тобой.

Наступила почти полная тишина, Мак слышал только шорох ветра, ласкающего деревья, да смех текущего неподалеку ручейка. День был великолепный, а весь пейзаж, от которого захватывало дух, просто невероятный.

— На самом деле я хочу знать... то есть мне кажется, что отыскать путь к тебе так сложно из-за всей этой благонамеренной религиозной мути, с которой я так хорошо знаком.

— Какой бы благонамеренной она ни была, ты же понимаешь, что религиозная машина может сжевать человека! — ответил Иисус с горечью.— Громадное число дел, творящихся во имя мое, не имеет ни малейшего ко мне отношения и часто, пусть и ненамеренно, идет вразрез с моими устремлениями.

— Так ты не слишком любишь религию и институты? — произнес Мак, сам не зная, задает ли вопрос или просто высказывает мнение.

— Я не создаю институтов, никогда не занимался этим и никогда не стану.

— А как же институт брака?

— Брак — это не институт. Это взаимоотношения,— объяснил Иисус терпеливо.— Как я уже сказал, я не создаю институтов, это занятие для тех, кто хочет играть в Бога. Да, пожалуй, я не большой любитель религии. И не большой любитель экономики и политики.— Лицо его заметно помрачнело.— Да и с чего бы мне им быть? Представители этих сфер деятельности терроризируют землю и обманывают тех, кто мне небезразличен, приводя их в смятение.

Мак колебался. Все это было несколько выше его понимания. Заметив, что взгляд его затуманился, Иисус сбавил обороты.

— Говоря проще, эти ужасы являются инструментами, которые многие используют, чтобы выстраивать для себя иллюзию защищенности и главенства. Люди боятся неопределенности, боятся будущего. Институты, структуры и идеологии — все это тщетные попытки породить некое подобие уверенности и безопасности там, где их нет и быть не может. Все — фальшь! Системы не могут обеспечить тебе защищенность, могу только я.

«Ух ты!» — Вот и все, что сумел подумать Мак. Картина того, как он сам и почти все, с кем он был знаком, пытаются устраивать и направлять свою жизнь, съежилась едва ли не до пылинки.

— И как же? — Мак все еще размышлял, но не мог прийти к определенным выводам. — Каким образом? — задал он в итоге вопрос.

— Здесь нет никакой схемы, Мак. Даже наоборот. Я пришел, чтобы дать тебе Жизнь во всей ее полноте. Свою жизнь. Простота и чистота наслаждения развивающейся дружбы.

— А, я понял!

— Если ты попытаешься жить без меня, без нашего равноправного диалога идущих вместе, это будет все равно что ходить по воде в одиночку. Ты не сможешь! А когда попытаешься, какими бы добрыми ни были твои намерения, ты пойдешь ко дну. — Прекрасно зная ответ, Иисус задал вопрос: — Ты спасал когда-нибудь тонущего человека?

Сердце и мышцы Мака мгновенно окаменели. Он не любил вспоминать о Джоше и каноэ, и панический страх моментально нахлынул на него.

— Очень трудно спасать кого-то, если он не желает довериться тебе.

— Да, это так.

— А это все, о чем я прошу. Когда начнешь тонуть, позволь мне тебя спасти.

— Иисус, я не уверен, что знаю, как...

— Дай мне всего лишь крошечное зернышко, и вместе мы вырастим его.

Мак принялся натягивать носки и ботинки.

— Когда я сижу здесь с тобой, мир не кажется мне сложным. Но когда вспоминаю свою ежедневную жизнь, я не понимаю, как сделать ее такой простой, как ты говоришь. Я погряз в той же самой погоне за властью, что и все. Политика, экономика, социальные системы, счета, семья, деловые обязательства... все это так затягивает! Я не знаю, как изменить ситуацию.

— А никто и не требует от тебя! — произнес Иисус мягко. — Это задача Сарайю, она знает, как добиться успеха, не ущемляя никого. И это процесс, а не единовременное событие. Все, что я хочу от тебя, это чтобы ты верил мне самую малость и рос над собой, любя окружающих людей той любовью, какой я с тобою делюсь. Не твое дело изменять или убеждать их. Ты волен любить без всяких схем.

— Этот как раз то, чему я хочу научиться.

— И ты учишься, — Иисус подмигнул.

Он поднялся и потянулся, и Мак последовал его примеру.

— Я так часто говорил неправду, — признался он.

Иисус посмотрел на него, притянул к себе и обнял.

— Я знаю, Мак, и я тоже. Я просто не верил им.

Они снова замедлили шаг. Иисус мягко повернул Мака к себе, посмотрел прямо в глаза.

— Мак, мировая система такова, какова она есть. Институты, системы, идеологии, и повсюду тщетные попытки человечества совладать с ними, и взаимодействия с ними избежать невозможно. Но я могу дать тебе свободу, превосходящую все системы власти, в каких бы ты ни находился, будь то религия, экономика, социум или политика. Ты будешь расти, и свобода будет внутри тебя или же вокруг всех видов систем, и ты будешь свободно маневрировать внутри и между ними. Вместе, ты и я, мы сможем быть внутри и в то же время вне их.

— Но столько людей, которые мне небезразличны, завязаны в этих системах и стоят за них горой! — Мак думал о своих друзьях, верующих людях, которые симпатизировали ему и его семье. Он знал, что они любят Иисуса, но в то же время заняты религиозной деятельностью и полны патриотизма.

— Мак, я люблю их. И ты неверно судишь о многих из них. Потому что для тех, кто привержен системам, мы должны отыскать способ совмещать любовь и служение, разве ты так не думаешь? — спросил Иисус. — Помни, те, кто знает меня, вольны жить и любить без всяких схем.

— Это и означает быть христианином? — Вопрос прозвучал глупо, но Мак просто пытался суммировать все услышанное.

— А кто говорил что-нибудь о христианах? Я не христианин.

Эти слова поразили Мака своей неожиданностью. Обдумав их, он не смог удержаться от усмешки.

— Да, пожалуй, ты не христианин.

Они подошли к двери мастерской, и Иисус снова остановился.

— Те, кто меня любит, приходят из всех существующих систем. Это буддисты и мормоны, баптисты и мусульмане, демократы, республиканцы и многие, кто вообще ни за кого не голосует, не ходит на воскресные проповеди и не принадлежит никаким религиозным институтам. У меня есть последователи среди бывших убийц и бывших фарисеев. Банкиры и букмекеры, американцы и иракцы, евреи и палестинцы. У меня нет желания делать из них христиан, однако я хочу видеть, как они перерождаются в сыновей и дочерей моего Отца, в братьев и сестер, в моих возлюбленных.

— Значит ли это,— спросил Мак,— что все дороги ведут к тебе?

— Вовсе нет,— улыбнулся Иисус и потянулся к дверной ручке.— Большинство дорог не ведут вообще никуда. Но это значит, что я сам готов идти по любой дороге, чтобы отыскать тебя.— Он помолчал.— Мак, мне надо кое-что закончить в мастерской, так что мы с тобой увидимся позже.

— Ладно. Что ты хочешь, чтобы я сделал сейчас?

— Что тебе будет угодно, Мак, этот день полностью в твоем распоряжении.— Иисус похлопал его по плечу и улыбнулся.— Еще одно напоследок, помнишь, ты благодарил за то, что я дал тебе возможность увидеть Мисси? Так вот, это была идея Папы.— С этими словами он повернулся, помахал Маку через плечо и вошел в мастерскую.

И Мак понял, что ему хочется сделать, и направился к хижине, чтобы узнать, не там ли Папа.

Глава 13

Встреча сердец

*Ложь имеет бесконечное число комбинаций,
тогда как правда бывает только одна.*

— Жан-Жак Руссо —

Подходя к хижине, Мак услышал запах лепешек, или оладий, или чего-то не менее чудесного. Прошел, должно быть, всего час с обеда, если вспомнить о том, как управлялась с фактором времени Сарайю, однако ему казалось, что он не ел уже много часов. Даже если будь он слепым, запросто нашел бы дорогу в кухню. Однако, приблизившись к двери, был удивлен и разочарован, обнаружив, что в кухне никого нет.

— Есть здесь кто-нибудь? — позвал он.

— Я на крыльце, Мак, — послышался через открытое окно ее голос. — Возьми себе что-нибудь выпить и иди сюда.

Мак налил кофе и вышел на крыльцо.

Папа с закрытыми глазами отдыхала в старом кресле-качалке в стиле адирондак*, нежась на солнышке.

— Что за дела? Бог решил позагорать? Неужели у тебя сегодня не нашлось других занятий?

— Мак, ты понятия не имеешь, чем я сейчас занята.

Напротив нее стояло другое кресло, он и уселся в него, а Папа открыла один глаз. Их разделял столик с подносом, полным аппетитной выпечки, масленкой со свежим маслом и целой батареей плошек с разными джемами и вареньями.

— Ух, какой запах! — воскликнул Мак.

— Налегай. Сделано по рецепту, который я позаимствовала у твоей прапрабабушки. Еще и по сусекам поскребла, — усмехнулась она.

Мак не был уверен, что означает «поскрести по сусекам», когда об этом говорит Бог, но решил не уточнять. Он взял лепешку и, ничем не намазав, откусил. Она была еще теплая и буквально таяла во рту.

— Ишь ты! Вкуснотища! Спасибо!

— Не забудь поблагодарить прапрабабушку, когда с ней увидишься.

— Понадеемся, — проговорил, жуя, Мак, — что это случится не очень скоро.

— А разве тебе не хочется узнать? — спросила Папа, игриво подмигнув, а затем снова закрывая глаза.

Жуя вторую лепешку, Мак набрался храбрости, чтобы выложить тяжелую правду на душе.

---

* Фольклорный стиль мебели, возник в середине XIX в. в США, получил свое название от гор Адирондак.

— Папа? — позвал он, и в первые ему не показалось нелепым называть Бога Папой.

— Да, Мак? — отозвалась она, открыла глаза и радостно улыбнулась.

— Я здорово на тебя злился.

— Гм, должно быть, София достучалась до тебя.

— Вот уж точно! Я и понятия не имел, что мне придется быть твоим судьей. Это звучит ужасно нахально.

— Так это потому, что так оно и есть,— объяснила Папа.

— Каюсь, я в самом деле не знал...— Мак печально покачал головой.

— Но теперь это в прошлом, и пусть там и остается. Я вовсе не хочу, чтобы ты сожалел об этом, Мак. Я лишь хочу расти вместе с тобою дальше.

— И я тоже хочу.— Мак потянулся за очередной лепешкой.— А почему ты не ешь?

— Угощайся без меня, ты же знаешь, как это бывает, начнешь готовить, там попробуешь, тут попробуешь и не успеешь оглянуться, как наелся. А ты не стесняйся,— и она пододвинула поднос к нему.

Он взял лепешку и откинулся на спинку кресла.

— Иисус сказал, это была твоя идея, позволить мне провести сегодня время с Мисси. Я не могу найти слов, чтобы тебя отблагодарить.

— А, всегда рада, милый. Я и сама была счастлива! Мне так не терпелось устроить ваше свидание, что я насилу дождалась.

— Если бы и Нэн была здесь.

— Тогда все было бы просто идеально! — взволнованно согласилась Папа.

Мак сидел молча, не понимая, что она имеет в виду и как на это реагировать.

— Ну разве Мисси не удивительная! — Она покивала головой.— Боже, боже, боже, я особенно ее люблю!

— И я тоже! — Мак просиял, подумав о своей принцессе у водопада.

Принцесса? Водопад? Погодите-ка! Папа наблюдала, как у него в голове все становится на свои места.

— Совершенно очевидно, что ты знаешь о том, как любит моя дочь водопады и как нравилась ей легенда о принцессе мултномахов.— Папа кивнула.— Так вот к чему все это? Ей пришлось умереть, чтобы я изменился?

— Да ты что, Мак! — Папа распрямилась в кресле.— Я так дела не делаю.

— Но она очень любила эту легенду.

— Конечно любила. Именно благодаря ей пришла к пониманию того, что сделал Иисус для нее и всего человечества. Истории о личностях, готовых по доброй воле отдать свою жизнь ради спасения других, это настоящая путеводная нить в вашем мире, они открывают и ваши устремления, и мое сердце.

— Но если бы она не умерла, я не был бы сейчас здесь...

— Мак, из того, что я в совершенстве умею извлекать добро из невыразимых трагедий, не следует, что я эти трагедии и провоцирую. Даже думать не смей, что если я пользуюсь каким-то моментом, то сама его и подстроила, или же нуждаюсь в нем для осуществления своих целей. Это всего лишь даст тебе ложное представление обо мне. Милосердие не нуждается в страданиях, чтобы существовать, но там, где есть страдания, ты обнаружишь и милосердие, во множестве проявлений и оттенков.

— Слышать это — большое облегчение. Мне было невыносимо думать, что из-за меня оборвалась ее жизнь.

— Она не твоя жертва, Мак. Она была и всегда будет твоею радостью. Для нее в этом и заключен смысл.

Мак откинулся в кресле, обозревая вид, открывавшийся с крыльца.

— Я чувствую себя таким переполненным!

— Ну так ты же слопал почти все лепешки.

— Я не об этом, — засмеялся он, — и ты это знаешь. Мир выглядит в тысячу раз ярче, и я чувствую себя в тысячу раз легче.

— Так и есть, Мак! Нелегко быть судьей целого мира. — Улыбка Папы убедила Мака, что новая тема вполне безопасна.

— Или судить тебя, — прибавил он. — У меня в голове был такой кавардак... Я совершенно не понимал, кто ты в моей жизни.

— Нет-нет, Мак, у нас с тобой были и чудесные моменты. Так что не надо сгущать краски.

— Но мне всегда казалось, что Иисус лучше тебя. Он выглядел таким милосердным, а ты...

— Такой злобной? Печально, не правда ли? Он пришел показать людям, кто я, а большинство поверило, что это он сам и есть. Они до сих пор воспринимают нас как хорошего полицейского и плохого полицейского. Когда они хотят, чтобы другие делали то, что им кажется правильным, им нужен суровый Бог. Когда они ищут прощения, они прибегают к Иисусу.

— Совершенно верно,— произнес Мак, воздев указательный палец.

— Но мы все были в нем. Он в точности выражал мое сердце. Я люблю тебя и приглашаю любить меня.

— Но почему меня? В смысле, почему Макензи Аллена Филлипса? Почему ты любишь такого растяпу и неудачника? После всего, что я чувствовал к тебе в глубине души, после всех высказанных мною обвинений почему ты вообще берешь на себя труд до меня достучаться?

— Потому что это любовь,— ответила Папа.— Помни, Мак, я не задаюсь вопросом, что ты сделаешь, какой выбор предпочтешь. Я уже это знаю. Давай предположим, к примеру, что я пытаюсь научить тебя не прятаться во лжи. Разумеется, только теоретически,— она подмигнула.— И предположим, я знаю, что тебе необходимо будет пережить сорок семь различных событий и ситуаций, прежде чем ты действительно меня услышишь, то есть прежде чем ты услышишь меня достаточно явственно, чтобы согласиться со мной и измениться. Поэтому, когда в первый раз ты не слышишь меня, я вовсе не злюсь и не огорчаюсь, я в предвкушении. Ведь осталось всего сорок шесть попыток. И этот первый раз является кирпичиком, который ляжет в основание моста, ведущего к исцелению, по которому в один прекрасный день, например сегодня, ты пройдешь.

— Ну вот, теперь я чувствую себя виноватым,— признался он.

— Не забудь рассказать, как это у тебя получается,— хихикнула Папа.— Честное слово, Макензи, все это делается не для того, чтобы ты ощущал себя виноватым. Чувство вины не поможет тебе обрести свободу во мне. В лучшем случае оно заставит упорнее искать утешения в какой-нибудь концепции снаружи. А я пребываю внутри.

— Но то, что ты сказала... Насчет того, чтобы прятаться во лжи. Полагаю, так или иначе я занимаюсь этим всю свою жизнь.

— Милый, ты же из выживших. Здесь нечего стыдиться. Твой отец ужасно обидел тебя. Жизнь обидела тебя. Ложь самое естественное убежище, куда бросается выживший. Она дает ощущение защищенности, это место, где каждый зависит только от себя самого. Однако местечко темное, правда?

— Очень темное,— пробормотал Мак, покачивая головой.

— Но готов ли ты отказаться от власти и защищенности, какие оно тебе обещает? Вот в чем вопрос.

— Что ты имеешь в виду?

— Ложь — это маленькая крепость, внутри ее ты якобы в безопасности, чувствуешь себя полновластным хозяином. Из этой крепости ты пытаешься управлять своей жизнью и манипулировать другими людьми. Однако крепости нужны стены, и ты их строишь. Это оправдания для твоей лжи. Будто бы ты лжешь, чтобы защитить кого-то, кого ты любишь, спасти от боли. В ход идет все, что угодно, лишь бы тебе было уютно внутри твоей лжи.

— Но я не сказал Нэн о письме только потому, что оно могло причинить ей сильную боль.

— Вот видишь? Ты уже начинаешь, Макензи, оправдывать себя. То, что ты сейчас произнес, неприкрытая ложь, и ты не видишь этого.— Она снова подалась вперед.— Хочешь, я скажу, в чем правда?

Мак знал, что Папа глубоко копает, и где-то в глубине души он был рад, что они заговорили об этом, ему даже хотелось засмеяться вслух. Он больше не стеснялся.

— Не-е-ет,— протянул он в ответ и улыбнулся.— Но все равно продолжай.

Она тоже улыбнулась, затем посерьезнела.

— Правда в том, Мак, что ты вовсе не пытался уберечь Нэн от боли, когда не сообщил ей о случившемся. Причина в том, что ты боялся, как бы тебе не пришлось иметь дело с переживаниями, и ее, и своими. Переживания пугали тебя, Мак. Ты лгал, чтобы защитить себя, а не ее!

Он выпрямился в кресле. Папа была совершенно права.

— И более того,— продолжала она,— такая ложь — это есть нелюбовь. Твоя ложь делает невозможными твои взаимоотношения с Нэн и ее взаимоотношения со мной. Если бы ты рассказал ей, может быть, она сейчас была бы здесь.

Слова Папы были словно удар кулаком в солнечное сплетение.

— Ты хотела, чтобы она тоже приехала?

— Это было бы твое и ее решение, если бы ей выпал шанс его принять. Дело в том, что ты просто не сознавал, что́ происходит, Мак, поскольку был так озабочен, защищая Нэн.

И снова его охватило чувство вины.

— Так что же мне теперь делать?

— Расскажи ей все, Мак. Сразись с боязнью выйти из темноты и расскажи, попроси прощения, и пусть ее прощение тебя исцелит. Попроси ее молиться за тебя, Мак. Рискни быть искренним. Когда ты снова запутаешься, снова попроси у нее прощения. Это же процесс, милый, жизнь достаточно реальна сама по себе, если ее не затеняет ложь. И помни еще, что я больше твоей лжи. Я могу действовать за ее пределами. Однако это не оправдывает наличия лжи, не прекращает начатых ею разрушений и не защищает других от ее ударов.

— А что, если Нэн меня не простит? — Мак сознавал, что это самый большой из страхов, с которыми он живет. Казалось, что безопаснее наслаивать новую ложь на растущую гору предыдущих.

— А это уже вопрос веры, Мак. Вера не живет в доме уверенности. Я здесь не для того, чтобы сказать, что Нэн тебя простит. Может быть, она не простит, не сможет, однако моя жизнь внутри тебя отважится пойти на риск и неопределенность, чтобы изменить тебя, по доброй воле превращая тебя в правдивого человека, и это будет чудо почище воскрешения покойника.

Мак позволил ее словам дойти до своего разума.

— Прости меня, пожалуйста,— произнес он.

— Уже сделано, давным-давно, Мак. Если не веришь мне, спроси Иисуса. Он там был.

Мак отхлебнул кофе, удивился, обнаружив, что он нисколечко не остыл.

— Но я так упорно старался вычеркнуть тебя из своей жизни.

— Люди очень цепкие, когда речь заходит об их воображаемой независимости. Они копят свои болезни, точно сокровища, и держатся за них мертвой хваткой. Они отыскивают свою индивидуальность, дорожат своей надломленностью, оберегают ее до последней капли отпущенных им сил. Неудивительно, что милосердие столь непривлекательно. В этом смысле ты просто пытался запереть двери своей души изнутри.

— Но не преуспел в этом.

— Потому что моя любовь намного больше твоего упрямства, — сказала Папа, подмигивая. — Я заставляю сделанный тобою выбор служить моим целям. На свете много людей вроде тебя, Макензи, заканчивающих тем, что запираются в крошечном пространстве наедине с чудовищем, которое неизбежно обманет их, не выразит и не передаст того, что, как им кажется, должно выразить и передать. Заключенные в темницу наедине с таким ужасом, они снова получают шанс вернуться ко мне. А то самое сокровище, в которое они так верили, становится их погибелью.

— Значит, ты используешь боль, чтобы заставить людей вернуться к тебе? — с неодобрением спросил Мак.

Папа придвинулась и нежно тронула его руку.

— Милый, я простила тебя и за то, что ты думаешь, будто я могу действовать таким способом. Я понимаю, тебе трудно, ты заблудился в своем восприятии реальности и все еще слишком уверен в правильности собственных суждений, чтобы начать видеть хотя бы, не говоря уже о том, чтобы понимать, что есть настоящие любовь и добро. Истинная любовь никогда не принуждает.

— Но если я правильно понял твои слова, последствия нашего эгоизма являются частью процесса, который в итоге приводит нас к крушению иллюзий и помогает обрести тебя. Разве не поэтому ты не предотвращаешь всякое зло? Разве не поэтому ты не предупредила нас, что Мисси в опасности, и не дала нам найти ее? — Обвиняющие нотки больше не звучали в голосе Мака.

— Если бы все было так просто, Макензи!.. Никто не знает, от каких ужасов я спасаю мир, потому что люди не видят того, что не случилось. Все зло проистекает от независимости, а независимость — это ваш выбор. Если бы я противодействовала каждому независимому выбору, мир, каким ты знаешь его, просто прекратил бы свое существование и любовь не имела бы никакого значения. Этот мир вовсе не игровая площадка, на которой я держу своих детишек, не допуская к ним зло. Зло — это хаос той эпохи, какую вы мне принесли, но последнее слово останется не за ним. Сейчас же оно касается каждого, кого я люблю, и тех, кто следует за мной, и тех, кто не следует. Если я ликвидирую последствия людского выбора, я уничтожу и возможность любви. Любовь, навязанная силой, вовсе не любовь.

Мак запустил пальцы в волосы и вздохнул.

— Это так сложно осмыслить.

— Милый, позволь мне назвать одну из причин, которая для тебя лишена какого-либо смысла. У тебя очень узкий взгляд на то, что значит быть человеком. Ты чудо, превосходящее всякое воображение. Только тот факт, что ты совершаешь чудовищный разрушительный выбор, не означает, что ты заслуживаешь меньшего уважения за то, чем являешься: вершиной моего Творения и средоточием моих привязанностей.

— Но...— начал Мак.

— Не забывай также,— перебила она,— что помимо боли и душевных мук ты окружен красотой, чудом Творения, искусством, музыкой и культурой, звуками смеха и любви, шепотом надежды и празднеством новой жизни. Примирением и прощением. Все это также является результатом твоего выбора, пусть и скрытым. Так что же из всего этого богатства мы должны отменить, Макензи? Может, мне никогда не стоило творить? Может быть, Адама нужно было остановить, когда он предпочел свободу? А как насчет твоего решения родить еще одну дочь или решения твоего отца бить своего сына? Ты требовал независимости, а теперь жалуешься на то, что я люблю тебя настолько, что готова дать тебе эту независимость.

Мак улыбнулся:

— Я уже слышал это раньше.

Папа улыбнулась в ответ и протянула руку за лепешкой.

— Я же говорила, что София добралась до тебя. Макензи, моя цель не в моем спокойствии или твоем. Моя цель — выражать любовь. Я стремлюсь отделять жизнь от смерти, нести свободу сломленным духом и обращать тьму в свет. Там, где ты видишь хаос, я вижу фрактал. Все должно свершиться, даже если в результате те, кого я люблю, кто наиболее мне близок, окажутся в мире, полном ужасных трагедий.

— Ты говоришь об Иисусе, верно? — тихо спросил Мак.

— Что ж, я люблю этого человека.— Папа отвернулась и покачала головой.— Все в нем, без исключения. Однажды вы все поймете, от чего он отказался. Для этого просто нет слов.

Мак ощущал, как в нем вскипают чувства. Что-то глубоко тронуло его, когда Папа говорила о своем сыне. Он колебался, стоит ли спрашивать, но в итоге все-таки нарушил молчание:

— Папа, ты не поможешь мне понять кое-что? Чего именно достиг Иисус своей смертью?

Она все еще глядела в лес.

— О.— Она махнула рукой.— Ничего особенного. Просто сущности всего, к чему стремилась любовь еще до начала творения.

— Ого, ничего себе абстракция. Нельзя ли поподробнее? — довольно развязно спросил Мак, во всяком случае, осекся он уже после того, как произнес вслух эти слова.

Папа, вместо того чтобы обидеться, улыбнулась.

— Нет, ну разве ты не наглеешь с каждой минутой? Дай человеку палец, и он всю руку отхватит.

Рот у него снова был набит, и он ничего не ответил.

— Как я уже говорила, все ради него. Творение и история — все ради Иисуса. Он центр наших устремлений, в нем мы полностью люди, так что наши устремления и ваша судьба связаны навеки. Можно сказать, что мы сложили все яйца в одну человеческую корзину. Потому что никакого плана «Б» не существует.

— Звучит довольно рискованно,— высказался Мак.

— Может быть, для тебя, но не для меня. С самого начала не вставало вопроса, добьюсь ли я того, чего хочу.— Папа подалась вперед и скрестила руки, положив их на стол.— Милый, ты спрашивал, чего Иисус достиг на кресте, так вот слушай меня внимательно: через его смерть и воскрешение я полностью примирилась с миром.

— С целым миром? Ты имеешь виду тех, кто в тебя верит?

— Со всем миром, Мак. Примирение — это улица с двусторонним движением, и я свою часть работы исполнила, совершенно, полностью, окончательно. Не в природе любви силой навязывать взаимоотношения, зато в природе любви открывать им путь.

С этими словами Папа поднялась и собрала тарелки, чтобы отнести их в кухню.

— Значит, я не понимаю природы примирения и боюсь переживаний. В этом дело?

Папа не ответила, она помотала головой и направилась в кухню. Мак слышал, как она ворчит под нос:

— Люди по временам такие идиоты!

Он не поверил собственным ушам.

— Что я слышу? Бог обозвал меня идиотом? — крикнул он через дверь.

И услышал ее ответ:

— Если тебе угодно, милый. Да, сэр, если вам угодно...

Мак засмеялся и откинулся в кресле. Его мозг был более чем полон, точно так же, как и желудок. Он отнес оставшуюся посуду в кухню и сложил на стол, поцеловал Папу в щеку и направился к выходу.

Глава 14

Глаголы и прочие вольности

Бог есть глагол.

— Букминстер Фуллер —

Мак вышел под послеполуденное солнце. Он испытывал смешанные чувства, он был выжат как лимон и в то же время бодр и весел. Что за невероятный сегодня день, а ведь до вечера еще так далеко! Минуту Мак постоял в нерешительности, прежде чем зашагать к озеру. Увидев причаленные каноэ, он понял, что, наверное, они всегда будут вызывать в нем горькую радость, но решил, что неплохо бы поплавать в лодке по озеру впервые за несколько лет.

Отвязав последнее каноэ, он с энтузиазмом уселся в него и двинулся к другому берегу. Затем обошел все озеро, исследуя его уголки и заводи. Он обнаружил две речушки и пару ручьев, которые либо стекали в озеро, питая его, либо вытекали, устремляясь куда-то, и еще отыскал отличное место, с которого можно было любоваться водопадом. Повсюду цвели альпийские цветы, пейзаж вызывал чувство умиротворения, которого Мак не испытывал уже долгие годы, если испытывал когда-либо вообще.

Он даже спел несколько старых гимнов и народных песен просто потому, что так ему захотелось. Пение было тоже из тех занятий, которым он не предавался уже давно. Заглянув в далекое прошлое, он принялся напевать любимую песенку Кейт:

— Кейти... прекрасная Кейти, я обожаю тебя одну...

Он покачал головой, думая о дочери, такой упрямой, твердой и одновременно такой хрупкой, задумался, сумеет ли отыскать путь к ее сердцу. Он уже не удивлялся тому, как легко у него начинают течь слезы.

В какой-то момент он отвернулся, рассматривая водовороты, оставляемые веслом, а когда повернулся обратно, на носу каноэ сидела Сарайю. Ее внезапное появление заставило его подскочить на месте.

— Ой! — вскрикнул он.— Ты меня напугала.

— Извини, Макензи,— произнесла она,— просто ужин почти готов, так что пора тебе плыть обратно.

— А ты была со мной все это время? — спросил Мак, приходя в себя после выброса адреналина.

— Конечно. Я всегда с тобой.

— Тогда как вышло, что я этого не знал? — спросил Мак.— Обычно я чувствовал, когда ты находишься рядом.

— Чувствуешь ты или нет,— пояснила она,— это ровным счетом никак не влияет на то, здесь я на самом деле или нет. Я всегда с тобой, просто иногда мне хочется, чтобы ты сознавал это более отчетливо.

Мак кивнул, давая знать, что понял, и развернул каноэ к далекому берегу и хижине. Теперь он отчетливо ощущал ее присутствие по покалыванию в позвоночнике. Они оба улыбнулись.

— А буду ли я всегда видеть или слышать тебя, как сейчас, даже если вернусь домой?

Сарайю улыбнулась.

— Макензи, ты всегда можешь со мной говорить, я всегда с тобой, ощущаешь ты мое присутствие или нет.

— Теперь я это знаю, но как я буду тебя слышать?

— Ты научишься слышать мои мысли в своих, Макензи.

— А мне будет понятно? Что, если я приму твой голос за чужой? Что, если я совершу ошибку?

Смех Сарайю был похож на плеск воды, только положенный на музыку.

— Ну конечно же, ты будешь делать ошибки, все делают ошибки, но ты начнешь лучше узнавать мой голос по мере того, как будут развиваться наши взаимоотношения.

— Я не хочу совершать ошибок, — пробурчал Мак.

— О Макензи, — отвечала Сарайю, — ошибки составляют часть жизни. Папа и на них возлагает определенные надежды. — Она веселилась, и Мак невольно заулыбался в ответ. Он прекрасно понимал, что она имеет в виду.

— Это так отличается от всего, что я знал, Сарайю. Не пойми меня неверно, я в восторге от того, что все вы сделали для меня за эти выходные. Но я понятия не имею, как вернусь к обычной жизни. Кажется, жить с Богом легче, когда представляешь его требовательным надсмотрщиком, легче даже ладить с одиночеством Великой Скорби.

— Ты так думаешь? — спросила она.— В самом деле?

— По крайней мере, тогда мне казалось, что все у меня было под контролем.

— «Казалось» — вот верное слово. И куда это тебя завело? Великая Скорбь и столько боли, сколько ты был не в силах выдержать, боли, которая выплескивалась даже на тех, кого ты любил больше всего на свете.

— По мнению Папы, это оттого, что я боюсь переживаний,— решился на откровенность Мак.

Сарайю громко засмеялась:

— Полагаю, это едва ли заменяет тебе радость.

— Я боюсь испытывать эмоции,— признался Мак, несколько обиженный тем, как легкомысленно, по его мнению, Сарайю восприняла его слова.— Мне не нравятся ощущения, которые они вызывают. Они задевают окружающих, и я вообще не могу им доверять. Ты создала все их или же только положительные?

— Макензи.— Сарайю как будто воспарила в воздухе. Ему по-прежнему с трудом удавалось сосредоточить на ней взгляд, а при вечернем солнце, играющем бликами на воде, это было еще сложнее.— Эмоции — это краски души, они прекрасны и зрелищны. Когда ты ничего не испытываешь, мир делается тусклым и бесцветным. Вспомни, как Великая Скорбь приглушила все оттенки твоей жизни, сведя их к монотонным серому и черному цветам.

— Так помоги же мне понять! — взмолился Мак.

— На самом деле тут нечего понимать. Они просто существуют. Они не бывают плохими или хорошими, они просто есть. Вот кое-что, что поможет тебе разложить все по полочкам в голове, Макензи. Парадигмы питают восприятие, восприятие питает эмоции. По большей части эмоции являются реакцией на восприятие, на то, что ты считаешь верной оценкой данной ситуации. Если твое восприятие ложно, тогда и твоя эмоциональная реакция будет ложной. Поэтому проверяй свое восприятие, а также проверяй верность сложившихся у тебя парадигм, того, во что ты веришь. Только учти: оттого, что ты искренне веришь во что-то, это что-то не становится правдой. Будь готов пересматривать то, во что веришь. Чем больше ты живешь в правде, тем больше переживания будут помогать тебе ясно видеть. Но даже тогда ты не захочешь верить им больше, чем мне.

Мак отпустил весло, позволив ему качаться, подчиняясь движению волн.

— Такое впечатление, что жить в подобных взаимоотношениях, ну, то есть верить тебе и разговаривать с тобой, несколько сложнее, чем просто следовать сложившимся правилам.

— А какие это правила, Макензи?

— Ну, все, что сказано в Заповедях, что нам полагается выполнять.

— Ладно...— с сомнением протянула она.— И что же это?

— Ты же знаешь,— ответил он саркастически.— Насчет того, чтобы делать добро и избегать зла, проявлять сострадание к бедным, читать Библию, молиться и ходить в церковь. И все в том же духе.

— Ясно. И как у тебя это получается?

Он засмеялся.

— На самом деле у меня никогда не получалось. Были периоды совсем неплохие, но постоянно приходилось с чем-нибудь бороться, ощущать свою вину за что-то. Я считал, что просто нужно стараться больше, но мне всегда было сложно основываться на подобной мотивации.

— Макензи! Библия не учит тебя следовать правилам. Это картина Иисуса. Если слова и могут рассказать тебе, какой из себя Бог и даже чего он от тебя хочет, сам ты не можешь сделать ничего подобного. Жизнь и пребывание заключены в нем, и ни в ком другом. Боже мой, ты же не думаешь, будто можешь жить в божественной праведности сам по себе?

— Ну, я думал об этом в некотором роде...— проговорил он робко.— Но ты должна признать, что правила и принципы проще, чем взаимоотношения.

— Это верно, взаимоотношения куда запутаннее, чем правила, однако правила никогда не дадут тебе ответов на сокровенные вопросы души, и они никогда не станут тебя любить.

Опустив руку в озеро, он играл водой, наблюдая узоры, получавшиеся от движения пальцев.

— Теперь я понимаю, как мало ответов есть у меня... на что-либо. Знаешь, вы меня перевернули с ног на голову или вывернули наизнанку, что-то в этом роде.

— Макензи, религия существует для того, чтобы давать правильные ответы, и некоторые из ее ответов действительно правильные. Но я здесь для того, чтобы вовлекать тебя в процесс, приводящий к живому ответу, и стоит тебе до него добраться, как он изменит тебя изнутри. Существует множество умных людей, которые в состоянии высказать множество верных утверждений, поскольку им вбили в голову, что это правильные ответы, но при этом они вовсе не знают меня. Так как же на самом деле их ответы могут быть правильными, даже если они правы? Надеюсь, ты понимаешь, откуда ветер дует? — Она улыбнулась собственной шутке. — Даже если они и правы, они все равно ошибаются.

— Понимаю, что ты имеешь в виду. Я после семинарии много лет сам так поступал. Находил верные ответы время от времени, но я не знал тебя. Эти дни, прожитые вместе с вами, просветили меня куда больше, чем все те ответы. — Они продолжали дрейфовать вместе с течением.

— Так как же, увижу я тебя снова? — спросил он.

— Разумеется. Ты можешь увидеть меня в произведении искусства, в музыке, в молчании, в людях, в Творении, в собственной радости и огорчении. Моя способность к общению безгранична, живая, меняющаяся, и она всегда будет настроена на добро и любовь Папы. И ты увидишь и услышишь меня в Библии совсем иначе. Только не ищи правил и принципов, ищи взаимоотношений, это единственный путь, ведущий к нам.

— Но все равно это будет не то, что видеть тебя сидящей на носу моей лодки.

— Нет, это будет гораздо лучше, чем ты можешь себе представить, Макензи. И когда ты наконец заснешь для этого мира, у нас с тобой будет вечность, которую мы проведем вместе, лицом к лицу.

Внезапно Сарайю исчезла. Хотя он знал, что на самом деле она не исчезала.

— Прошу тебя, помоги мне жить в правде,— произнес он вслух.

«Может быть, это сойдет за молитву»,— подумал он.

Когда Мак вошел в хижину, Иисус и Сарайю уже сидели за столом. Папа, как обычно, хлопотала, внося тарелки с изумительно пахнущими кушаньями, и снова Мак узнал лишь немногие из блюд, да и на те пришлось взглянуть второй раз, чтобы убедиться, что они в самом деле ему знакомы. Овощи подозрительным образом отсутствовали. Он направился в ванную, чтобы привести себя в порядок, а когда вернулся, остальные трое уже приступили к еде. Мак подвинул четвертый стул и сел.

— Но на самом деле вам же не нужно есть, правда? — спросил он, наливая себе в тарелку нечто похожее на жидкий суп из морепродуктов, с кальмаром, рыбой и прочими, не поддающимися идентификации деликатесами.

— Нам не нужно делать вообще ничего,— с некоторым нажимом ответила Папа.

— Тогда зачем же вы едите? — поинтересовался Мак.

— Чтобы побыть с тобой, милый. Ты должен есть, так разве найдется лучший повод, чтобы провести время вместе?

— Кроме того, все мы любим готовить,— прибавил Иисус.— И я люблю еду, очень даже люблю. Ничто не приведет в такой экстаз твои вкусовые сосочки, как шаомай*,

---

* Китайские паровые пирожки.

угали* или кори-бананье**. А потом еще кусочек сливочного пудинга или тирамису*** с горячим чаем. Объеденье! Нет ничего лучше.

Все засмеялись, после чего снова принялись деловито передавать друг другу блюда и накладывать себе еду. Пока Мак ел, он прислушивался к разговору этих троих. Они болтали и смеялись, словно старинные друзья, которые знают друг друга до кончиков ногтей. Он завидовал их беспечному и в то же время исполненному почтительности разговору и пытался представить, каково было бы вот так же беседовать с Нэн или с близкими друзьями.

И снова его поразили чудесность и невероятная абсурдность этого момента. Он мысленно перебирал разговоры, в которые вовлекали его за последние двадцать четыре часа. Подумать только! Он провел здесь всего сутки? И что же он будет делать со всем этим, когда вернется домой? Он знал, что обо всем расскажет Нэн. Она может не поверить, так ведь и он на ее месте, пожалуй, не поверил бы ни единому слову.

Полет его мысли набирал скорость. Ничего подобного не могло происходить на самом деле. Он закрыл глаза и постарался отвлечься от звучащих рядом голосов. Внезапно наступила мертвая тишина. Он медленно приоткрыл один глаз, наполовину готовый к тому, что сейчас окажется дома. Но вместо этого увидел, что Папа, Иисус и Сарайю внимательно смотрят на него и глуповатые улыбки словно приклеи-

---

   * Африканская крутая каша или пюре на основе кукурузной муки.

  ** Индийское блюдо, курица в остром соусе.

 *** Итальянский десерт на основе сыра маскарпоне.

лись к их лицам. Он даже не пытался им ничего объяснить. Он знал, что они все понимают.

Тогда он указал на одно из кушаний и спросил:

— Можно мне попробовать вот это?

Разговор возобновился, и на этот раз он внимательно слушал. Но снова ощутил, что его уносит куда-то. Чтобы устоять, он решил задать вопрос.

— Почему вы любите нас, людей? — Ему стало понятно что он не сформулировал вопрос как следует.— Ну, то есть я хочу понять, почему вы любите меня, когда мне нечего дать вам взамен?

— Если задуматься о том,— заговорил Иисус,— какая невероятная свобода заключена в осознании того, что ты ничего не можешь дать нам, по крайней мере, ничего такого, что можно добавить или забрать у тех, кто мы есть... Подобное знание снимает всякие запреты.

— А ты любишь своих детей больше, когда они ведут себя хорошо? — прибавила Папа.

— Нет, все эти доводы я понимаю.— Мак помолчал.— Однако я ощущаю себя более реализованным, потому что они есть в моей жизни, а вы?

— Нет,— сказала Папа.— Мы уже полностью реализованы внутри самих себя. Но вы созданы для того, чтобы жить в сообществе, и в то же время созданы по нашему образу и подобию. Так что для вас испытывать подобные чувства к своим детям или к чему-нибудь, что «делает богаче», в высшей степени естественно и правильно. Не упускай из виду, Макензи, что я не человеческое существо, по самой своей природе не человеческое, несмотря на то что мы решили провести эти выходные с тобой. Я полностью человек в Иисусе, но при этом я нечто совершенно иное по своей природе.

— Ты же знаешь, ну конечно ты знаешь,— произнес Мак извиняющимся тоном,— что до сих пор я только и мог придерживаться этой точки зрения, но потом сбился, и в мозгах у меня просто каша...

— Я понимаю,— заверила Папа.— Ты не можешь представить перед своим мысленным взором то, чего не можешь испытать наяву.

Мак секунду подумал над ее словами.

— Наверное, так... Но как же... Вот видишь? Полная каша!

Когда все отсмеялись, Мак продолжил:

— Вы знаете, насколько я благодарен вам, однако за эти выходные вы отправили на помойку почти все, что я знал. Что мне делать, когда вернусь домой? Чего вы ждете от меня теперь?

Иисус с Папой повернулись к Сарайю, которая подносила ко рту вилку с наколотым на нее куском. Она медленно положила вилку на тарелку и ответила на смущенный взгляд Мака.

— Мак,— начала она,— ты должен простить этих двоих. Люди имеют тенденцию изменять язык, подгоняя его под нужды своей независимой жизни и необходимости действовать. Поэтому, когда я слышу речь, искаженную людьми в угоду правилам, ставшим важнее жизни с нами, мне трудно промолчать.

— Как и должно быть,— прибавила Папа.

— Но что же именно я сказал? — спросил Мак, преисполненный любопытства.

— Мак, доведи дело до конца. Мы можем говорить, пока ты жуешь.

Мак понял, что он и сам застыл с вилкой, не донесенной до рта. Он с благодарностью сунул в рот кусок, а Сарайю начала объяснять. Говоря, она словно парила над стулом и переливалась бесчисленными оттенками и полутонами, и вся комната наполнилась слабым дуновением ароматов, от которых кружилась голова.

— Позволь мне ответить, начав с вопроса. Зачем, как ты думаешь, мы пришли с Десятью Заповедями?

И снова Мак замер с недонесенной до рта вилкой, но все-таки сунул в рот то, что на ней было, размышляя, как лучше ответить Сарайю.

— Полагаю, по крайней мере, так меня учили, что это набор правил, которым, как вы ожидаете, люди станут подчиняться, чтобы жить праведной жизнью и заслужить ваше милосердие.

— Если бы это было так! Но это не так,— продолжала Сарайю.— А сколько в таком случае людей сумело бы жить достаточно праведно, чтобы заслужить наше милосердие?

— Не слишком много, если эти люди похожи на меня,— сказал Мак.

— На самом деле получилось лишь у одного, у Иисуса. Он не только подчинялся букве закона, но еще и полностью реализовал его дух. Но пойми вот что, Макензи: чтобы сделать это, ему пришлось целиком и полностью положиться на меня.

— Но тогда зачем же вы пришли с Заповедями? — спросил Мак.

— Мы хотели, чтобы вы перестали стараться быть праведными сами по себе. Это было зеркало, показывающее, насколько грязно ваше лицо, когда вы ведете свою независимую жизнь.

— Но я уверен, вы знаете, что многие,— ответил Мак,— считают, что ведут праведную жизнь, следуя этим самым положениям.

— Разве можно вымыть лицо с помощью зеркала, которое показывает тебе, как ты грязен? Нет никакого милосердия и прощения в правилах, даже за одну-единственную ошибочку. Вот почему Иисус совершил свой подвиг для вас, и никакие правила уже не имеют над вами власти. И тот Закон, который некогда содержал невозможные требования, начинающиеся с «Не...», на самом деле превратился в обещание, которое мы исполнили в вас.

Она теперь пульсировала, все в ней вздымалось и двигалось.

— Но не забывай, что если ты проживаешь свою жизнь сам по себе, независимо, это пустое обещание. Иисус лишил силы требования закона, он больше не может обвинять или приказывать. Иисус одновременно является обещанием и его исполнением.

— Ты утверждаешь, что мне нет нужды следовать правилам? — Мак перестал жевать и полностью сосредоточился на разговоре.

— Именно. В Иисусе вы уже неподвластны этому закону. Все является законным.

— Ты же не всерьез! Снова ты сбиваешь меня с толку,— простонал Мак.

— Дитя,— вмешалась Папа,— ты пока еще ничего не услышал.

— Макензи,— продолжала Сарайю,— те, кто боится свободы, и есть те, кто не может поверить, что мы живем в них. Попытки придерживаться закона на деле являются просто декларацией независимости, способом сохранить власть.

— Значит, мы так любим закон потому, что он дает нам власть? — спросил Мак.

— Все гораздо хуже,— ответила Сарайю.— Он гарантированно дарует вам возможность судить других и ощущать свое превосходство над ними. Вы верите, что живете по более высоким стандартам, чем те, кого вы судите. Насаждать силой правила, в особенности в наиболее тонких сферах, таких как ответственность или упование, это тщетная попытка создать уверенность из неопределенности. А что бы ты там себе ни думал, я просто обожаю неопределенность. Правила не могут дать свободу, они лишь обладают властью обвинять.

— Ого! Ты говоришь мне, что ответственность и упование — это просто иные виды правил, которым мы больше не подчиняемся? Я правильно тебя услышал?

— Н-да,— снова вмешалась Папа.— Мы добрались до сути, Сарайю, он полностью в твоем распоряжении!

Мак не обратил внимания на слова Папы, он целиком сосредоточился на Сарайю, что было непростым делом.

Сарайю улыбнулась Папе, потом снова обернулась к Маку. Она проговорила медленно и размеренно:

— Макензи, я всегда ставлю глагол выше существительного.

Она замолчала и подождала. Мак не догадывался о том, что он должен вынести из ее таинственного утверждения, поэтому сказал:

— То есть?

— Я,— она раскинула руки, включая в понятие себя, Иисуса и Папу,— я есть глагол. Я тот, кто я есть. Я стану тем, кем стану. Я есть глагол! Я живое, динамичное, вечно активное и движущееся. Я есть глагол бытия.

Мак продолжал смотреть на нее озадаченно. Он понял произнесенные ею слова, но они пока еще не вошли в его сознание.

— И поскольку сама моя суть — это глагол,— продолжала она,— я более созвучна глаголам, чем существительным. Глаголам, таким как исповедоваться, раскаиваться, отзываться, расти, созревать, изменяться, сеять, бежать, танцевать, петь и так далее, и так далее. Люди же, напротив, тяготеют к тому, чтобы взять глагол, живой и полный милости, и обратить его в мертвое существительное или же принцип, от которого разит правилами, в то, что растет, живет, умирает. Существительные живут, потому что есть созданная вселенная и физическая реальность, но если вселенная всего лишь масса имен существительных, она мертва. Если не «Я есть», то нет никаких глаголов, а именно глаголы делают вселенную живой.

— Но,— Мак все еще силился понять, хотя какой-то свет вроде бы забрезжил в сознании,— но что именно это означает, если точно?

Сарайю, кажется, не смутило его непонимание.

— Для того чтобы что-то двигалось от смерти к жизни, ты должен соединить нечто живущее и нечто движущееся. Двигаться от всего-навсего существительного к чему-то динамичному и непредсказуемому, чему-то живущему в настоящем времени, означает двигаться от закона к милосердию. Позволь, я приведу тебе пару примеров.

— Да, пожалуйста,— с жаром ответил Мак.— Я весь внимание.

Иисус фыркнул, и Мак сердито взглянул на него. Едва заметная улыбка осветила лицо Сарайю.

— В таком случае давай будем использовать два слова: ответственность и упование. Прежде чем вашими словами стали имена существительные, они сначала были моими словами, существительными с движением и опытом, заключенными внутри их, со способностью давать ответ и надеяться. Мои слова живые и динамичные, полные жизни и возможности, ваши — мертвые, полные законов, страхов и суждений. Вот почему вы не найдете слова «обязанности» в Писании.

— О господи.— Мак сморщился, начиная понимать, к чему все клонится.— Но вроде мы очень даже часто его используем.

— Религия должна использовать закон, чтобы усиливать свои позиции и управлять людьми, которые необходимы ей, чтобы выживать. Я даю вам возможность отвечать, и ваш ответ должен быть свободен от принуждения, чтобы любить и служить в любой ситуации, делая таким образом каждый миг не похожим на другие, уникальным и чудесным.

Поскольку я — ваша способность отвечать, я должна присутствовать в вас. Если же я просто возлагаю на вас «обязанности», мне вовсе нет нужды пребывать в вас. Тогда это будет повинность, которую требуется отрабатывать, обязательство, которое необходимо исполнять, нечто обреченное на провал.

— О господи, господи,— снова произнес Мак без особенного энтузиазма.

— Давай возьмем в качестве примера дружбу и посмотрим, насколько трагично меняется характер взаимоотношений, если убрать из существительного элемент жизни. Мак, если мы с тобой друзья, в наших взаимоотношениях существует некое предвкушение. Когда мы встречаемся или расстаемся, есть ожидание того, что мы будем вместе, будем говорить и смеяться. Это ожидание не имеет конкретного определения, оно живое, динамичное, и все, что проистекает из нашего пребывания вместе, удивительный дар, не доступный больше никому. Но что произойдет, если я заменю «ожидание» на «обязанности», тайные или явные? Закон вторгнется в наши взаимоотношения. Теперь от тебя ждут, что ты будешь вести себя так, чтобы соответствовать возложенным на тебя обязанностям. Наша живая дружба быстро деградирует до чего-то мертвого, полного правил и требований. Речь идет уже не о тебе и обо мне, а о том, что полагается делать друзьям, и об обязанностях, какие должны исполнять хорошие друзья.

— О,— протянул Мак,— обязанности мужа, отца, работника или кого-то там еще. Я представляю эту картину. Я бы с бо́льшей радостью жил в предвкушении.

— Как и я, — задумчиво произнесла Сарайю.

— Но, — возразил Мак, — если не будет существовать ни ответственности, ни обязанностей, не развалится ли все на куски?

— Только в том случае, если ты находишься в своем мире, вдалеке от меня, и подчиняешься закону. Ответственность и обязанности лежат в основе вины, стыда и суда, они служат главным мерилом, которое определяет исполнительность как основополагающую составляющую индивидуальности и значимости. Ты прекрасно знаешь, что такое жить, не соответствуя чьим-то ожиданиям.

— Господи, еще как знаю! — пробормотал Мак. — И это нисколько не похоже на славное времяпрепровождение. — Он на секунду задумался, новая мысль пронзила его. — Так ты утверждаешь, что не возлагаешь на меня никаких обязанностей?

Теперь заговорила Папа:

— Милый, я никогда не возлагала никаких обязанностей ни на тебя, ни на кого другого. Мысль, стоящая за возложением обязанностей, подразумевает, что кто-то не знает будущего, не знает неизбежного исхода и пытается управлять поведением, чтобы получить желаемый результат. Люди стараются управлять поведением главным образом через возложение обязанностей. Я знаю тебя и все, что тебя касается. С чего же мне питать какие-то ожидания сверх того, что я уже знаю? Это было бы просто глупо. И кроме того, поскольку я не возлагаю на тебя никаких обязанностей, ты никогда меня не разочаруешь.

— Как? Я тебя никогда не разочарую? — Мак изо всех сил пытался переварить услышанное.

— Никогда! — подчеркнула Папа.— То, что у меня имеется, это постоянное живое предвкушение наших взаимоотношений, и я даю тебе способность отвечать в любой ситуации и при любых обстоятельствах, в каких бы ты ни оказался. И в той степени, в какой ты прибегаешь к обязанностям и исполнению ожиданий, в той же степени ты никогда не узнаешь меня и никогда мне не доверишься.

— И еще,— добавил Иисус,— в той же степени ты будешь жить в страхе.

— Но,— Мак не был до конца убежден,— но почему вы не хотите, чтобы мы расставили приоритеты? Ну, вы понимаете: сначала Бог, затем что-то еще, а за ним что-то еще?

— Беда жизни с приоритетами состоит в том,— заговорила Сарайю,— что неизбежно возникает иерархия, пирамида, а мы с тобой уже обсуждали, что это такое. Если ты поставишь Бога наверху, что это будет означать на самом деле и в какой степени будет достаточно? Сколько времени ты должен будешь уделить мне, прежде чем перейти к остальным повседневным делам, тем, которые волнуют тебя больше?

И снова вмешалась Папа:

— Видишь ли, Макензи, я не хочу получить всего лишь часть тебя и часть твоей жизни. Даже если бы ты мог, а ты не можешь, отдать мне бо́льшую часть, то и это будет не то, чего я хочу. Я хочу тебя всего, полностью и без остатка, в каждый миг твоей жизни.

Теперь опять заговорил Иисус:

— Мак, я не хочу быть первым в списке твоих ценностей, я хочу быть в центре всего. Когда я живу в тебе, то вместе мы можем пережить все, что с тобой происходит. Я не хочу быть на верхушке пирамиды, я хочу быть в движущемся центре, через который вся твоя жизнь — твои друзья, семья, занятия, мысли, поступки — будет соединяться со мной и двигаться, подчиняясь дуновению ветра, вперед и назад, внутрь и наружу, в невероятном танце бытия.

— А я, — завершила Сарайю, — я и есть этот ветер. — Она широко улыбнулась и поклонилась.

Последовало молчание. Мак пытался собраться с мыслями. Он обеими руками вцепился в край стола, словно в надежде удержаться хоть за что-нибудь материальное перед натиском подобных идей и образов.

— Ладно, хватит об этом, — заявила Папа, поднимаясь со стула. — Пора немного повеселиться! Вы идите, а я пока уберу со стола все, что может испортиться. Посуду вымоем потом.

— А как же молитва? — поинтересовался Мак.

— Никаких обязательных ритуалов, Мак, — сказала Папа, унося со стола несколько тарелок. — Сегодня вечером у нас будет совсем другое занятие. Тебе понравится!

Когда Мак поднялся, чтобы пойти вслед за Иисусом к задней двери, он ощутил на своем плече чью-то руку и обернулся. Сарайю стояла рядом, пристально всматриваясь в него.

— Макензи, пойдем со мной, я хочу сделать тебе подарок по случаю сегодняшнего вечера. Ты позволишь прикоснуться к твоим глазам и исцелить их, всего лишь на этот вечер?

Мак изумился:

— Но у меня прекрасное зрение.

— На самом деле,— извиняющимся тоном произнесла Сарайю,— от тебя очень многое скрыто, хотя для человека ты видишь очень даже хорошо. Однако сегодня вечером ты сможешь увидеть кое-что из того, что видим мы.

— Тогда пожалуйста,— согласился Мак.— Прошу тебя, коснись моих глаз и всего, чего захочешь.

Она протянула к нему руки, Мак закрыл глаза и подался вперед. Ее прикосновение, неожиданное и веселящее, было похожим на лед. Легкая дрожь прошла по телу, и он поднял руки, чтобы задержать прикосновение у себя на лице. Но не ощутил ничего и поэтому медленно открыл глаза.

Глава 15

Празднование друзей

Ты можешь поцеловать своих родных и друзей на прощание и оказаться во многих милях от них, но в то же время ты унесешь их с собой в своем сердце, в голове, в животе, потому что не только ты живешь в мире, но и мир живет в тебе.

— Фредерик Бюхнер. «Говоря правду» —

Когда Мак открыл глаза, их тотчас же пришлось заслонить рукой от слепящего света, который окутывал его.

— Тебе будет очень трудно смотреть прямо на меня,— зазвучал голос Сарайю,— или на Папу. Но по мере того, как твой разум будет привыкать к перемене, станет легче.

Мак находился на прежнем месте, но хижина исчезла, точно так же, как и причал с мастерской. Он стоял на вершине небольшого холма под сияющим, хотя и безлунным, ночным небом. Видел, что звезды движутся, но не суматошно, а плавно и четко, как будто великие небесные дирижеры направляют их движения.

Время от времени, словно подчиняясь какому-то знаку, дождь комет и метеоров осыпал ряды звезд, изменяя их плавный танец. А потом Мак увидел, как некоторые звезды растут и меняют цвет, словно превращаясь в новые или в белых карликов. Казалось, будто само время сделалось динамичным и переменчивым, вплетаясь в кажущееся хаотичным, однако тщательно выверенное небесное представление.

Он снова обернулся к Сарайю, которая стояла рядом. Хотя смотреть на нее было все еще трудно, он теперь улавливал симметрию и краски, заключенные в узорах ее платья, как будто миниатюрные бриллианты, рубины и сапфиры всевозможных оттенков были вплетены в одеяние из света, которое сначала колыхалось волнами, а затем рассыпáлось мелкими брызгами.

— Как все это прекрасно,— прошептал он, пораженный священным величественным зрелищем.

— Воистину,— прозвучал голос Сарайю откуда-то из света.— А теперь, Макензи, оглядись по сторонам.

Он последовал совету и ахнул. Даже в темноте ночи все лучилось светом различных тонов и оттенков. Сам лес полыхал огнями и красками, и при этом были отчетливо видны каждое дерево, каждая веточка, каждый лист. Птицы и летучие мыши, пролетая, оставляли после себя хвосты цветного огня. Он даже видел в отдалении выжидательно застывшую толпу других детей Творения. Там были и олень, и медведь, и горный баран... Величественный лось стоял у самой опушки леса, выдра и бобер плескались в озере — все переливались собственными цветами и испускали сияние. Мириады крошечных существ сновали повсюду, и каждое из них оживляло собственное свечение.

Сверкая оттенками персика, сливы и смородины, ястреб метнулся к поверхности озера, но в последнее мгновение взмыл вверх, чиркнув по воде, и искры с его крыльев посыпались в волны снежными хлопьями. А ниже радужная форель выскочила из волны, словно дразня промахнувшегося охотника, а затем канула обратно во всплеске красок.

Мак ощущал себя чем-то бо́льшим, чем был, словно в его власти было оказаться там, куда он смотрит. Два медвежонка, игравшие под ногами у матери, привлекли его взгляд, оттенки охры, мяты и ореха переплетались, пока звери кувыркались, переговариваясь на своем наречии. Мак ощутил, что с того места, на котором стоит, он может коснуться их, и, не раздумывая, он протянул руку. И тут же отдернул, поняв, что и сам он светится. Он смотрел на свои руки, отчетливо видимые в каскадах цветного огня, который облегал их, словно перчатки. Он оглядел свое тело и убедился, что свет и краски полностью окутывают его: это был наряд непорочности, который давал ему одновременно свободу и достоинство.

Мак понял также, что не ощущает боли даже в своих обычно ноющих суставах. Он никогда не чувствовал себя так хорошо, так целостно. Голова была ясная, он глубоко вдыхал ароматы ночи и спящих в саду цветов, многие из которых уже начали пробуждаться, чтобы принять участие в праздновании.

Беспричинная радость родилась в нем, он подпрыгнул, медленно взмыл в воздух, затем плавно опустился на землю.

«Как похоже, — подумал он, — на полеты во сне».

А потом Мак заметил огни. Одинокие движущиеся точки вырывались из леса, собираясь на лугу на том месте, где стояли Мак с Сарайю. Он видел их теперь и на окрестных горах, они появлялись и исчезали, направляясь к ним по невидимым дорожкам и тропкам.

Они стекались на луг, целая армия детей. У них не было свечей — они светились сами. И помимо собственного свечения каждый был облачен в особенный наряд, который, как понял Мак, обозначал принадлежность ребенка к какому-нибудь племени или народу земли. Хотя он узнал всего нескольких, это было не важно. Это были дети земли, дети Папы. Они входили со спокойным достоинством и грацией, лица их были преисполнены довольства и умиротворения, маленькие дети несли на руках совсем младенцев.

Мак подумал, не с ними ли Мисси, но, поискав глазами, оставил это занятие. Он рассудил, что если она здесь и захочет к нему подбежать, то сделает это сама. Дети образовали на лугу огромный круг, через который тянулась свободная дорожка, примерно от того места, где стоял Мак, в самый центр круга. Небольшие сполохи, похожие на медленные фотографические вспышки, возникали каждый раз, когда дети смеялись или перешептывались. И если Мак понятия не имел, что именно должно произойти, они, очевидно, знали и с трудом сдерживали нетерпение.

Вслед за ними, образуя второе кольцо огней, входили и останавливались, как предположил Мак, взрослые, такие же, как он сам, тоже сверкающие многочисленными красками, только приглушенными.

Внезапно внимание Мака привлекло какое-то необычное движение. Казалось, у одного из светящихся существ во внешнем кольце возникли трудности. Вспышки и искры фиолетового и бежевого тонов взмыли по дуге на фоне ночного неба к тому месту, где стояли они с Сарайю. Их сменило лиловое, золотистое и карминное пламя, оно выбрасывало переливающиеся искры света, которые тоже устремились в их сторону, полыхая на фоне черного неба, но затем вернулись к своему источнику.

Сарайю засмеялась.

— Что там такое? — шепотом спросил Мак.

— Там стоит человек, который с трудом сдерживает свои эмоции.

Тот, кто старался сдержать чувства, не совладал с ними и взволновал своих ближайших соседей. Цепная реакция была отчетливо видна, поскольку вспышки распространились и по кругу детей. Те, кто стоял ближе к возмутителю спокойствия, кажется, отвечали ему, потому что цвета и сполохи текли от них к нему. Сочетания красок, исходившие от каждого, были уникальны, и Маку показалось, что в них содержится ясный ответ тому, кто стал причиной возмущения.

— Но я все равно не понимаю,— снова зашептал Мак.

— Макензи, сочетание красок и света уникально для каждого человека, не существует двух одинаковых, и ни один рисунок не повторяется дважды. Здесь мы имеем возможность увидеть друг друга в истинном обличье, и часть этого видения означает, что индивидуальные особенности личности и его эмоций воплощаются в красках и свете.

— Это невероятно! — воскликнул Мак.— Тогда почему у детей в основном белый цвет?

— Если подойдешь поближе, увидишь, что в них множество индивидуальных оттенков, сливающихся в белый цвет, который содержит в себе все остальные цвета. По мере того как они взрослеют и растут, становясь теми, кто они на самом деле, цвета, которые они излучают, делаются более различимы и в них проявляются индивидуальные оттенки и тона.

— Невероятно! — повторил Мак и вгляделся еще внимательнее.

Он заметил теперь, что за кругом взрослых возник еще один. Огни там были выше, они словно колыхались от дуновений ветра и были такими же сапфировыми и аквамариновыми, с уникальными вкраплениями других красок, наслаивающимися друг на друга.

— Ангелы,— ответила Сарайю раньше, чем Мак задал вопрос.— Слуги и наблюдатели.

— Невероятно! — в третий раз воскликнул Мак.

— Это еще не все, Макензи, и это поможет тебе понять проблему, с которой столкнулся тот человек.

Даже Маку было совершенно ясно, что тот человек, кем бы он ни был, все еще не мог совладать с чувствами. Резкие сполохи время от времени устремлялись в их сторону, подбираясь ближе.

— Мы не только способны видеть уникальность каждого в цвете и свете, но можем и выражать себя через их посредство. Только выражение это очень сложно контролировать, и обычно никто не пытается сдержать его, как пытается тот человек. Самое естественное — просто отпустить его.

— Не понимаю.— Мак колебался.— Ты хочешь сказать, что мы можем отвечать друг другу через цвета?

— Ну да.— Сарайю кивнула, во всяком случае, Маку показалось, что она именно кивнула.— Любые взаимоотношения между двумя людьми совершенно уникальны. Вот почему ты не можешь любить одинаково двух разных людей. Это просто-напросто невозможно. Ты любишь каждого человека особо, в зависимости от того, кто он, и соответственно той уникальной реакции, какую он вызывает в тебе. И чем лучше ты знаешь другого человека, тем насыщеннее краски ваших взаимоотношений.

Мак слушал и в то же время наблюдал разворачивающееся перед ним представление. Сарайю продолжала:

— Наверное, ты лучше всего поймешь, если я быстренько приведу пример. Предположим, Мак, что ты сидишь с другом в кафе. Ты сосредоточен на своем товарище, и если бы обладал способностью видеть, то заметил бы, что вы оба окутаны облаками красок и света, которые обозначают не только вашу уникальность как личностей, но и уникальность взаимоотношений между вами и эмоций, которые вы испытываете в данный момент.

— Но...— начал Мак лишь для того, чтобы тут же замолкнуть.

— Предположим,— продолжала Сарайю,— что в кафе входит кто-то второй, кого ты любишь, и, хотя ты погружен в разговор с первым другом, ты замечаешь появление этого второго. И если бы ты обладал способностью видеть большую реальность, вот что бы ты увидел: по мере того как ты поддерживаешь разговор, уникальное сочетание красок и света оторвется от тебя и окутает облаком того, кто только что вошел, представляя тебя в иной форме любви и приветствуя этого вошедшего. И еще одно, Макензи: это облако не только видимо, но еще и осязаемо: ты можешь ощущать, вдыхать, даже пробовать на вкус эту уникальность.

— Мне нравится! — воскликнул Мак.— Но если не считать того человека,— он махнул в сторону источника взволнованных сполохов в кольце взрослых,— то как остальным удается сохранять такое спокойствие? Разве они не знакомы друг с другом? Мне кажется, краски должны вспыхивать повсюду.

— Они прекрасно знают друг друга, большинство из них, но они здесь для того, чтобы отпраздновать нечто, не касающееся их взаимоотношений друг с другом, во всяком случае, напрямую,— пояснила Сарайю.— Они ждут.

— А чего? — спросил Мак.

— Скоро увидишь,— ответила Сарайю.

— В таком случае почему этот человек,— внимание Мака снова было привлечено к возмутителю спокойствия,— сдерживается с таким трудом и почему, как мне кажется, он сосредоточен на нас?

— Макензи,— мягко ответила Сарайю,— он сосредоточен не на нас, он сосредоточен на тебе.

— Что? — Мак был изумлен.

— Человек, который с таким трудом сдерживает переживания, твой отец.

Волна гнева и тоски захлестнула Мака, и, словно это был знак, облако красок от его отца перенеслось через луг. Его окатывало рубиновым и карминным, багровым и фиолетовым, свет и краски плясали вокруг, обнимая. И каким-то образом в вихре этого урагана он оказался бегущим по лугу к отцу, бегущим к источнику красок и переживаний. Он был маленьким мальчиком, ищущим своего папу, и впервые в жизни он не боялся. Он бежал, не заботясь ни о чем, кроме объекта в своей душе, и он его нашел. Отец стоял на коленях, омываемый светом, слезы каплями драгоценных камней скатывались по рукам, которыми он закрывал лицо.

— Папа! — закричал Мак и бросился к человеку, который не смел поднять глаза на сына. В реве ветра и огня он обеими руками обхватил голову отца, вынуждая того взглянуть ему в лицо, чтобы можно было произнести слова, которые Мак всегда хотел ему сказать:

— Папа, прости меня! Папа, я тебя люблю!

Свет этих слов как будто прогнал черноту из красок отца, обращая их в кроваво-красные. Два человека, рыдая, произносили слова признания и прощения, и любовь, превосходящая каждого из них, исцеляла их.

Наконец они могли стоять рядом, и отец обнимал сына так, как никогда не обнимал до сих пор. И только теперь Мак уловил звуки песни, которая словно пронизывала это священное место, где он был рядом с отцом. Обнимая друг друга, они слушали, не в силах говорить из-за слез, песнь примирения, от которой делалось светлее ночное небо. Фонтаны сверкающих красок забили в круге детей, и самыми яркими были краски тех, кто страдал больше других. А затем искры начали передаваться от одного к другому по ветру, пока весь луг не оказался затопленным светом и песней.

Мак каким-то образом понял, что сейчас не время для разговоров и что срок, отведенный на встречу с отцом, быстро подходит к концу. Он чувствовал каким-то дивным образом, что происшедшее очень важно не только для него, но и для отца. Новая легкость, которую ощутил Мак, вселяла в него эйфорию. Поцеловав отца в губы, он повернулся и направился к небольшому холму, где его дожидалась Сарайю. Проходя между рядами детей, он ощущал их прикосновения, и краски тотчас же обнимали его, сразу отпуская. Его почему-то уже знали и любили здесь.

Когда он подошел к Сарайю, она тоже обняла его, и он снова залился слезами. Но Мак сумел взять себя в руки и снова повернулся лицом к лугу, к озеру, к ночному небу. Воцарилась тишина. Предчувствие стало почти осязаемым. Вдруг откуда-то справа из темноты вышел Иисус, и разразилась буря. Он был одет в переливающееся бриллиантовым светом белое одеяние, на голове сверкала золотая корона, он до кончиков ногтей был королем вселенной.

Он шел по дороге, ведущей в центр круга, в центр всего Творения, человек, который был Богом, Бог, который был человеком. Свет и краски танцевали и сплетали ковер любви, по которому он ступал. Люди, плача, произносили слова обожания вслух, другие просто стояли, протянув к нему руки. Многие из тех, чьи краски были самыми насыщенными и глубокими, пали ниц, спрятав лицо. Все, что обладало дыханием, пело песнь бесконечной любви и благодарения. Этой ночью вселенная была такой, какой должна была быть.

Иисус достиг середины круга и огляделся. Его взгляд остановился на Маке, и тот услышал, как Иисус шепчет ему в ухо:

— Я особенно тебя люблю.

Больше Мак вынести не мог, он повалился на землю, растворяясь в потоках радостных слез.

А затем он услышал, как Иисус произнес отчетливо и громко, но, боже, как же мягко и нежно:

— Придите!

И они пошли, сначала дети, затем взрослые, все по очереди, как бы ни сгорали от желания немедленно начать смеяться, болтать, обниматься и петь вместе с Иисусом. Время, кажется, совершенно замерло, пока длилось это небесное представление. А затем каждый по очереди уходил, и вот не осталось никого, кроме светящихся голубых стражей и животных. И даже среди них ходил Иисус, называя каждого по имени, пока все они, и их детеныши, не вернулись в свои заросли, или в гнезда, или на уютные пастбища.

Мак стоял без движения, силясь осознать увиденное, превосходящее все его способности к восприятию.

— Я и понятия не имел...— прошептал он, качая головой и вглядываясь в даль.— Невероятно!

Сарайю рассмеялась в брызгах огней.

— Только представь, Макензи: что, если бы я коснулась не только твоих глаз, но и языка, и носа, и ушей?

На лугу остались только они. Дикий, тоскливый крик гагары эхом отразился от озерной глади, это словно послужило сигналом к завершению праздника, и все стражи одновременно растворились. Теперь слышались только хоры кузнечиков и лягушек, исполнявших свою собственную песнь восхищения у кромки воды и на окрестных лугах. Не произнося ни слова, все трое повернулись и двинулись обратно к хижине. Словно занавес опустился перед взором Мака, вернее, его зрение вернулось в свое нормальное состояние. Он ощущал это состояние как потерю, испытывал даже легкую грусть, пока Иисус не подошел и не взял его за руку, давая понять, что все идет ровно так, как было задумано.

Глава 16

Утро скорби

Бесконечный Бог может отдавать всего Себя каждому из Своих детей. Он не разделяет Себя, чтобы каждый мог получить часть, но каждому Он отдает всего Себя в такой полноте, словно других не существует.

— Э. У. Тозер —

Маку показалось, будто он только-только провалился в глубокий сон без сновидений, когда почувствовал, что его трясет за плечо чья-то рука.

— Проснись, нам пора идти.— Голос был знакомый, но тихий, словно говорящий и сам только что проснулся.

— А? — простонал Мак.— Который час?

— Пора идти! — снова послышался шепот.

Мак выбрался из постели. Ворча и спотыкаясь, нашарил выключатель. Свет показался ослепительным после непроницаемой темноты, и прошла минута, прежде чем он смог приоткрыть один глаз и покоситься на раннего гостя.

Человек, стоявший перед ним, был немного похож на его отца, старше, морщинистее и выше Мака. У него были серебристые седые волосы, стянутые на затылке в хвост, такие же седые усы и бородка. На нем была клетчатая рубаха с закатанными рукавами, джинсы и походные ботинки, наряд дополняло снаряжение туриста, готового к долгой дороге.

— Папа? — спросил Мак.

— Да, сынок.

Мак покачал головой.

— Ты все еще со мной, правда?

— Всегда, — ответил он с теплой улыбкой, а затем ответил и на следующий вопрос, который Мак еще не успел задать. — Сегодня утром тебе нужен будет отец. Ну, давай, уже пора. Все, что тебе может понадобиться, лежит на стуле и столике в изножье твоей кровати. Буду ждать на кухне, перекусишь чем-нибудь, и пойдем.

Мак кивнул. Он не удосужился спросить, куда именно они идут. Если бы Папа хотел, чтобы он знал, он бы сказал. Он быстро натянул идеально подходящую по размеру одежду, похожую на ту, что была на Папе, и сунул ноги в ботинки. Освежившись в ванной комнате, он направился в кухню.

Иисус с Папой стояли у кухонного стола, куда более отдохнувшие, чем ощущал себя Мак. Он уже хотел заговорить, но тут из задней комнаты появилась Сарайю с большим пакетом, похожим на спальный мешок, туго перетянутый шнуром. Она передала сверток Маку, и он тотчас ощутил чудесную смесь запахов, исходящих от него. Это была смесь ароматических трав и цветов, которые, как ему показалось, он узнал. Он явственно ощутил запах корицы, мяты и каких-то фруктов.

— Это мой подарок, позже пригодится. Папа покажет тебе, как им пользоваться.— Она улыбнулась и обняла его. Только так он мог истолковать ее жест. Относительно ее действий сложно было утверждать что-либо наверняка.

— Это сам понесешь,— добавил Папа.— Здесь то, что вы с Сарайю собрали вчера.

— Мой подарок подождет вашего возвращения,— улыбнулся Иисус и тоже обнял Мака, только у него получилось обычное объятие.

Сарайю и Иисус ушли в комнату, и Мак остался наедине с Папой, который деловито взбивал пару яиц и поджаривал две полоски бекона.

— Папа,— позвал Мак, удивляясь тому, как легко ему теперь звать так Бога,— а ты не будешь завтракать?

— Ничто не должно становиться ритуалом, Макензи. Тебе еда необходима, мне — нет.— Он улыбнулся.— И не торопись. У нас полно времени, а глотать слишком быстро вредно для пищеварения.

Мак ел медленно, наслаждаясь присутствием Папы.

Иисус заглянул в кухню, сообщил Папе, что все необходимые им инструменты сложены у двери. Папа поблагодарил Иисуса, а тот поцеловал его в губы и вышел через заднюю дверь.

Мак, помогая убирать со стола тарелки, спросил:

— Ты действительно его любишь, правда? Я имею в виду Иисуса.

— Я знаю, кого ты имеешь в виду,— ответил Папа, смеясь. Он перестал отмывать сковородку.— Всем сердцем! Полагаю, есть нечто совершенно особенное в единственном порожденном мною сыне.— Папа подмигнул Маку и продолжил: — Часть той уникальности, в которой я знаю его.

Они покончили с посудой, и Мак вышел вслед за Папой из дома. Над горными вершинами занималась заря, первые краски рассвета проявлялись на пепельно-сером фоне уходящей ночи. Мак взял подарок Сарайю и закинул за спину. Папа вручил ему небольшую кирку, которая стояла рядом с дверью, а сам надел на плечи рюкзак. Взял в одну руку лопату, в другую — палку и молча двинулся мимо сада и огорода вдоль правого берега озера.

К тому времени, когда они достигли начала тропы, рассвело настолько, что идти стало совсем легко. Папа остановился и указал палкой на дерево рядом с тропинкой. Мак сумел разглядеть, что кто-то пометил это дерево небольшой красной дугой. Для Мака это не значило ничего, а Папа не стал объяснять, а просто зашагал по тропе.

Подарок Сарайю был довольно легким для своих размеров, и Мак использовал кирку в качестве прогулочной трости. Тропинка перевела их через ручей и углубилась дальше в лес. Мак был рад, что у него водонепроницаемые ботинки, когда, оступившись, соскользнул с камня и оказался по щиколотку в воде. Он слышал, что Папа напевает себе под нос, но мелодии не узнал.

Пока они шагали, Мак успел подумать о многочисленных событиях, которые пережил за два прошедших дня. О разговорах с каждым из троих, вместе и по отдельности, о встрече с Софией, о молитве, в которой он принимал участие, о том, как смотрел с Иисусом на звезды, как ходил с ним по озеру. И о вчерашнем вечернем празднестве, которое стало кульминацией всего, где было и примирение с отцом — удивительное исцеление, и как мало все они произнесли слов. Все это было сложно осмыслить.

Пока Мак перебирал в памяти эти события, он понял, что остается множество вопросов. Возможно, еще будет шанс задать их, однако он понимал, что сейчас неподходящее время. Он знал наверняка только то, что никогда уже не станет таким, как прежде, и пытался понять, что даст произошедшая с ним перемена жене, его Нэн, и детям, особенно Кейт.

И все же оставалось кое-что, что он по-прежнему хотел узнать, и это терзало его.

Наконец он нарушил молчание:

— Папа?

— Да, сынок.

— Вчера София помогла мне многое понять о Мисси. И мне здорово помогли разговоры с Папой. Э, я хочу сказать, разговоры с тобой.— Мак был смущен, но Папа остановился и улыбнулся, поэтому Мак продолжил: — Странно, что мне хочется говорить об этом с тобой, да? Я имею в виду, ты ведь самый-самый Отец из всех отцов, если это имеет какой-то смысл.

— Я понимаю, Мак. Мы завершаем с тобой круг. То, что вчера ты простил своего отца, сегодня помогло тебе узнать как Отца и меня. Тебе нет нужды объясняться.

Почему-то Мак догадался, что они приближаются к концу долгого пути и Папа старается помочь ему сделать последние шаги.

— Не существует способа обрести свободу, не заплатив за это, как ты сам знаешь.— Папа опустил глаза, шрамы отчетливо виднелись на его запястьях.— Я знал, что мое Творение взбунтуется, захочет независимости и смерти, и я знал, что мне будет дорого стоить открытие пути к воссоединению. Ваша независимость воплотилась, как вам показалось, в мир хаоса, непредсказуемый и пугающий. Мог ли я предотвратить то, что случилось с Мисси? Да, мог.

Мак поднял глаза на Папу, он взглядом задавал вопрос, который не было нужды высказывать вслух. Папа продолжил:

— Во-первых, если бы Творения не было вообще, все эти вопросы отпали бы сами собой. Во-вторых, я мог бы избрать для себя активное вмешательство в случае с Мисси. Первое даже не подлежит рассмотрению, а последнее не может служить предметом выбора, учитывая те цели, которые ты сейчас не в силах постичь. Поэтому все, что я могу тебе сейчас предложить в ответ — это свою любовь и доброту и наши с тобой взаимоотношения. Я не желал смерти Мисси, однако это не значит, что я не могу обратить ее смерть в добро.

Мак печально покачал головой.

— Ты прав. Я не слишком хорошо понимаю. Мне показалось, я увидел проблеск света, а затем вся моя тоска и опустошенность поднялись в душе и сказали мне, что все, что я вижу, не может быть правдой. Но я все равно верю тебе...— И добавил вдруг, словно натолкнувшись на новую мысль, удивительную и чудесную: — Да, Папа, я все равно тебе верю!

Папа в ответ просиял:

— Я знаю, сынок, знаю.

С этими словами он пошел дальше, а Мак последовал за ним, и на сердце у него стало легче и спокойнее. Вскоре начался сравнительно легкий подъем, и они убавили шаг. Время от времени Папа останавливался и постукивал палкой по валуну или крупному дереву у тропинки, помеченным тем же самым значком, небольшой красной дугой. Прежде чем Мак успевал задать вопрос, Папа поворачивался и шагал дальше.

Постепенно лес начал редеть, и Мак видел за деревьями обнажения блестящих сланцев там, где ледник снес участки леса в те далекие времена, когда еще не было протоптано этой тропы. Один раз они сделали короткий привал, и Мак выпил холодной воды, которую Папа нес во фляге.

После привала тропинка пошла круто вверх, и они еще больше замедлили шаг. Мак прикинул, что они идут уже часа два; наконец они вышли из лесной зоны. Он видел, как тропинка тянется по горе все выше, но сначала им следовало обогнуть большую скалу и пересечь засыпанный валунами участок.

Папа снова остановился.

— Мы почти на месте, сын,— сообщил он, протягивая Маку флягу.

— Правда? — спросил Мак, оглядывая печальное и пустынное поле камней, раскинувшееся перед ними.

— Да! — Это все, что ответил ему Папа. Он выбрал небольшой валун рядом с тропинкой и, прислонив к нему рюкзак и лопату, сел.

— Я собираюсь показать тебе нечто такое, что причинит сильную боль.

— И что же?

Мышцы живота у Мака сжались, он опустил кирку и, усевшись, положил подарок Сарайю на колени. Ароматы трав, усиленные утренним горным солнцем, наполнили его душу ощущением красоты и спокойствием.

— Чтобы помочь тебе перенести то, что увидишь, позволь снять с твоей души еще один камень.

Мак понял, о чем идет речь, и, отвернувшись от Папы, уставился в землю, словно пытаясь просверлить взглядом дыру в земле у себя под ногами.

Папа заговорил мягко и ободряюще:

— Сын, я не собираюсь тебя стыдить, унижать, обвинять или порицать. Ведь от этого не возникнет ни единого грана целостности или праведности, а именно ради них Иисуса на кресте унижали, обвиняли и порицали.

Он помолчал, дожидаясь, когда мысль дойдет и смоет с Мака смущение, и продолжил:

— Сегодня мы стоим на пути исцеления, завершая эту часть твоего путешествия, не только для тебя, но и для остальных. Сегодня мы кинем в озеро большой камень, и ты даже не представляешь, как далеко разойдутся круги. Ты ведь уже знаешь, чего я хочу, правда?

— Боюсь, что знаю,— пробормотал Мак, чувствуя, как эмоции заполняют его.

— Сынок, тебе надо сказать, назвать это вслух.

Теперь ничто не сдерживало Мака, и горячие слезы катились по его лицу, и, рыдая, он начал свое признание:

— Папа, я никогда не смогу простить сукина сына, который убил мою Мисси. Если бы сегодня он был здесь, не знаю, что бы я с ним сделал. Я понимаю, что это неправильно, но я хочу, чтобы ему было больно, так же больно, как больно мне... если я не могу добиться справедливости, я все равно жажду мести.

Папа позволил потоку чувств выплеснуться из Мака.

— Мак, для тебя простить этого человека означает отпустить его ко мне и позволить мне спасти его.

— Спасти его? — И снова Мак ощутил пламя гнева и боли.— Я не хочу, чтобы ты его спасал! Я хочу, чтобы ты сделал ему больно, наказал его, отправил в ад...— Голос его сорвался.

Папа терпеливо ждал, когда волна эмоций вновь отступит.

— Я не в силах забыть того, что он сделал! Да разве такое возможно? — взмолился Мак.

— Простить не значит забыть, Мак. Это значит перестать душить другого человека.

— Но мне казалось, ты забыл наши грехи?

— Мак, я Бог. Я ничего не забываю. Я знаю все. Поэтому забыть для меня означает сознательно себя ограничить. Сын мой,— голос Папы сделался совершенно спокойным, и Мак взглянул прямо в его глубокие карие глаза,— благодаря Иисусу больше нет закона, требующего, чтобы я держал в голове все ваши грехи. Они исчезают, когда речь заходит о тебе и обо мне, они никак не влияют на наши с тобой взаимоотношения.

— Но ведь тот человек...

— Он тоже мой сын. Я хочу его спасти.

— И что потом? Я прощаю его и все у нас прекрасно? И мы становимся приятелями? — Мак говорил негромко, но с сарказмом.

— У тебя нет никаких взаимоотношений с этим человеком, во всяком случае, пока что. Прощение не означает начало взаимоотношений. Через Иисуса я простил всем людям все их прегрешения против меня, но лишь немногие выбрали взаимоотношения со мной. Макензи, разве ты не понимаешь, что прощение — это невероятная сила, сила, которую ты разделяешь с нами, сила, которую Иисус даровал всем, в ком он живет, чтобы стало возможным воссоединение? Когда Иисус простил тех, кто прибивал его к кресту, они перестали быть в долгу перед ним и передо мной. В своих взаимоотношениях с теми людьми я никогда не вспомню, что они сделали, не стану стыдить их, не стану обвинять.

— Сомневаюсь, что смогу это сделать, — тихо ответил Мак.

— Но я хочу, чтобы у тебя получилось. Прощение нужно прежде всего тебе, прощающему, — сказал Папа, — оно освобождает от того, что пожирает тебя живьем, что убивает в тебе радость и способность любить в полной мере и открыто. Думаешь, этот человек представляет, через какую боль и страдания ты прошел? Нет, он же упивается ими, как ничем другим. Разве тебе не хочется прекратить это? А чтобы это сделать, тебе придется освободить его от груза, который он несет, сознавая это или не сознавая. Когда ты решаешь простить другого, ты правильно любишь его.

— Я его не люблю.

— Сегодня не любишь. Но люблю я, Мак, и не того, каким он стал, но сломленного ребенка, которого изуродовала собственная боль. Я хочу помочь тебе обрести ту природу, которая черпает силу в любви и прощении, а не в ненависти.

— Но означает ли это,— Мак снова рассердился оттого, что разговор принял такое направление,— что если я прощу, то позволю ему встретиться с Кейт или моей будущей внучкой?

— Макензи,— Папа был тверд и уверен,— я уже сказал тебе, что прощение не порождает взаимоотношений. До тех пор, пока человек не скажет правду о том, что сделал, не изменит свой образ мышления и поведение, взаимоотношения, выстроенные на доверии, невозможны. Когда ты прощаешь кого-то, ты безоговорочно освобождаешь его от суда, но если не произойдут настоящие изменения, никакие доверительные взаимоотношения не установятся.

— Значит, прощение не требует от меня притворяться, будто всего этого никогда не происходило?

— Разве ты смог бы? Ты простил вчера своего отца. Разве ты забудешь когда-нибудь о том, что он с тобой сделал?

— Сомневаюсь.

— Но теперь ты можешь любить его, несмотря на это. То, как он изменился, позволяет тебе любить его. Прощение нисколько не требует, чтобы ты верил человеку, которого прощаешь. Но если он признается и покается, то в твоей собственной душе свершится чудо, которое позволит тебе протянуть руку и начать строить между вами мост исцеления. И иногда — хотя сейчас подобное может показаться невероятным — эта дорога может привести тебя к чуду полностью восстановленного доверия.

Мак сполз на землю и привалился спиной к камню и опустил голову.

— Папа, кажется, я понимаю, о чем ты говоришь. Но у меня такое чувство, что если прощу этого типа, он получит свободу. Как я могу простить то, что он сделал? Разве это справедливо по отношению к Мисси, если я перестану его ненавидеть?

— Макензи, прощение ни в коей мере не подразумевает освобождения. Поверь мне, свобода — последнее, что есть у этого человека. И не твоя обязанность его судить. Я сам этим займусь. Что же касается Мисси, она его уже простила.

— Она простила? — Мак даже не поднял головы.— Как она смогла?

— Благодаря моему присутствию в ней. Это единственный способ простить по-настоящему из всех возможных.

Мак почувствовал, что Папа сел рядом с ним на землю, но все равно не поднимал головы. Когда Папа обнял его, Мак заплакал.

— Выпусти из себя все,— услышал он шепот Папы и наконец-то смог это сделать.

Он закрыл глаза; слезы лились ручьями. Снова заполнили сознание воспоминания о Мисси, видения, где были раскрашенные картинки, карандаши и разорванное, окровавленное платье. Он плакал, пока не выплакал из себя всю темноту, всю тоску и опустошенность, пока не осталось ничего.

Сидя с закрытыми глазами, раскачиваясь взад и вперед, он умолял:

— Помоги мне, Папа! Помоги! Что мне делать? Как я могу его простить?

— Скажи ему.

Мак поднял голову, почти ожидая увидеть, что человек, которого он ни разу не встречал, стоит перед ним, но никого рядом не оказалось.

— Как, Папа?

— Просто скажи это вслух. В том, что утверждают мои дети, есть сила.

Мак зашептал себе под нос, сначала вполсилы и запинаясь, но затем со все нарастающей уверенностью:

— Я прощаю тебя. Я прощаю тебя. Я прощаю тебя.

Папа притянул его к себе.

— Макензи, ты такое счастье!

Когда Мак успокоился, Папа подал ему платок, чтобы он утер лицо. Мак неуверенно поднял голову.

— Ого! — проговорил он сипло, пытаясь отыскать слово, способное описать то эмоциональное усилие, которое он только что совершил. Он ощущал себя живым. Он отдал платок Папе и спросил: — Так значит, ничего страшного, что я все еще злюсь?

Папа ответил тотчас же:

— Абсолютно ничего! То, что он совершил, ужасно. Он причинил невероятную боль множеству людей. Это неправильно, и злость верный ответ на то, что настолько неправильно. Лишь не позволяй боли и опустошенности помешать тебе его простить и оторвать руки от его шеи.

Он подхватил свой рюкзак и забросил за спину.

— Сынок, ты можешь говорить о своем прощении сотню раз в первый день и столько же во второй, но в последующие ты станешь делать это все реже и реже, пока однажды не почувствуешь, что простил его окончательно. И тогда ты помолишься за то, чтобы он обрел целостность, и передашь его в мои руки, чтобы моя любовь выжгла из его жизни все следы испорченности. И как бы невероятно это ни звучало сейчас, ты, возможно, когда-нибудь узнаешь этого человека с совершенно иной стороны.

Мак застонал. Однако, как ни сводило ему живот от тех слов, что произносил Папа, в душе он знал, что это правда. Они поднялись одновременно, и Мак повернулся в ту сторону, откуда они пришли.

— Мак, наше дело еще не сделано,— сказал Папа.

Мак замер:

— Правда? Я думал, ты привел меня сюда за этим.

— Да, но я же говорил, что должен кое-что тебе показать, то, о чем ты меня просил. Мы здесь, чтобы отвезти Мисси домой.

Внезапно Мак все понял. Он взглянул на подарок Сарайю,— так вот для чего спальный мешок. Где-то среди голых камней убийца спрятал тело Мисси, и они пришли, чтобы его забрать.

— Спасибо.— Это было единственное слово, которое он успел сказать Папе, прежде чем слезы снова покатились по щекам из невидимого источника.— Ненавижу все это, реву и пускаю пузыри, как идиот, ненавижу слезы,— стонал он.

— О дитя мое,— нежно заговорил Папа,— не умаляй чудесной силы своих слез. Они могут стать исцеляющими водами и потоком радости. Иногда они — лучшие слова, какие может высказать душа.

Мак отстранился и взглянул Папе в лицо.

— Но ты обещаешь, что в один день слез не будет? Я с нетерпением буду ждать этого момента.

Папа улыбнулся, протянул руку к лицу Мака и нежнейшим прикосновением стер с его щек оставленные слезами дорожки.

— Макензи, этот мир полон слез, но, если ты помнишь, я обещал, что это я буду тем, кто сотрет их с твоих глаз.

Мак сумел выдавить улыбку, а душа его продолжала исцеляться в любви его Отца.

— Вот,— произнес Папа, протягивая ему флягу.— Глотни как следует. Я не хочу, чтобы ты иссох, как изюм, раньше, чем мы закончим.

Мак невольно засмеялся, потом осекся, но решил, что все хорошо. Ведь это был смех надежды и возрожденной радости... от завершения.

Папа пошел первым. Прежде чем свернуть с главной тропы и двинуться по тропке, петляющей среди валунов, он остановился и палкой постучал по большому камню. Обернулся к Маку, жестом давая понять, чтобы тот посмотрел повнимательнее. На камне был знак в виде красной дуги. И теперь Мак понял, что дорога, по которой они идут, обозначена тем самым человеком, который похитил его дочь.

Пока они шли, Папа рассказал Маку, что тела убитых девочек так и не нашли, потому что убийца тщательно выбирал места, где их спрятать, иногда за много месяцев до того, как похищал свои жертвы.

На полпути через поле камней Папа свернул с тропы в лабиринт скал и каменных стен, но прежде снова указал палкой на теперь уже привычный знак, начерченный на поверхности скалы. Мак понял, что если бы он не знал, что именно они ищут, то запросто просмотрел бы эти значки.

Прошло минут десять, Папа остановился перед расселиной, над которой встречались два выходивших на поверхность пласта породы. У их подножия была навалена куча камней, и на одном из них виднелся знак, оставленный убийцей.

— Помоги разобрать, — сказал Папа Маку, принимаясь откатывать самый большой камень. — Иначе не войти в пещеру.

Когда закрывающие вход камни были убраны, они отскребли и откинули лопатой затвердевшую землю и щебень, мешающие проходу. Неожиданно остатки завала поддались, и стал виден лаз в небольшую пещеру, возможно некогда служившую берлогой для медведя. Затхлый запах гниения выплеснулся наружу, и Мак заткнул нос. Папа сунул руку в сверток, который дала Маку Сарайю, и вынул кусок ткани размером с головной платок. Он завязал им рот и нос Маку, и тотчас сладкий аромат заглушил зловоние пещеры.

Пещера была такой низкой, что им пришлось ползти на четвереньках. Вынув из рюкзака мощный фонарь, Папа заполз первым. Мак последовал за ним, волоча за собой подарок Сарайю.

Спустя несколько минут на маленьком каменном возвышении Мак увидел тело, которое, как он понял, принадлежало его Мисси: лицом вверх, завернутое в грязную гниющую простыню. Оно походило на старую перчатку, которую не оживляет рука, и Мак понял, что настоящей Мисси здесь нет.

Папа развернул то, что дала им с собой Сарайю, и пещера тотчас же наполнилась живыми благоуханными ароматами. И хотя простыня, окутывающая тело Мисси, была совсем прозрачная, она выдержала, когда Мак поднял дочь и уложил среди цветов и трав. Затем Папа осторожно завернул тело и понес его к выходу. Мак вылез наружу первым, и Папа передал ему их сокровище. Мак подождал, когда Папа выберется из пещеры и наденет рюкзак. Не было сказано ни слова, если не считать того, что Мак бормотал время от времени себе под нос:

— Я прощаю тебя... Я прощаю тебя...

Прежде чем покинуть это место, Папа подкатил валун, на котором была нарисована красная дуга, и положил его перед входом в пещеру. Мак заметил, но не обратил особенного внимания на его жест, он был занят собственными мыслями и нежно прижимал тело дочери к своему сердцу.

Глава 17

Выбор сердца

На Земле нет такой горести,
какую не в силах исцелить Небеса.

— Автор неизвестен —

Когда они подошли к хижине, Иисус с Сарайю уже поджидали их у заднего крыльца. Иисус осторожно забрал у Мака его груз, и они вместе пошли в мастерскую, где он работал накануне. Мак не заходил сюда со дня своего приезда, и его в очередной раз поразила простота убранства. Свет потоками лился через большие окна, и в его лучах висела тонкая древесная пыль. Стеллажи на стенах и верстаки, на которых лежали многочисленные инструменты, были устроены так, чтобы ничем не мешать работе. Совершенно очевидно, это было святилище настоящего мастера своего дела.

И прямо перед ними стояла его работа, настоящий шедевр, в который они уложили останки Мисси. Мак обошел вокруг гроба и узнал все, что было вырезано на дереве. Посмотрев внимательнее, обнаружил, что даже мельчайшие детали жизни Мисси были запечатлены здесь. Он нашел изображение Мисси вместе с ее котом Иудой. Было еще изображено, как Мак сидит в кресле, читая ей книжку доктора Сьюза*. Вся семья узнавалась в сценах, вырезанных по бокам ящика и на крышке: Нэн с Мисси готовят на кухне; поездка на озеро Валлова и фуникулер, карабкающийся в гору; и даже Мисси за столом на лагерной стоянке с книжкой-раскраской и с точным изображением булавки с божьей коровкой, которую оставил после себя убийца. Иисус даже совершенно точно изобразил улыбающуюся Мисси, когда она глядела на водопад, твердо зная, что ее папа стоит по другую сторону. И повсюду виднелись те цветы и животные, которых Мисси любила больше других.

Мак обернулся и обнял Иисуса. Иисус прошептал ему на ухо:

— Мисси мне помогала, она сама выбрала все, что хочет здесь видеть.

Мышцы Мака окаменели. Он еще долго не мог отпустить Иисуса.

— У нас приготовлено замечательное место для ее тела,— сказала Сарайю, проносясь мимо.— Макензи, оно в нашем саду.

С величайшей осторожностью они поместили останки Мисси в гроб, уложив ее на подстилку из мягких трав и мхов, а затем доверху наполнили ящик цветами и пряными травами из свертка Сарайю. Закрыв крышку, Мак с Иисусом легко подняли ящик, вынесли его из мастерской и направились вслед за Сарайю в сад, к тому месту, которое Мак

---

* Доктор Сьюз — Теодор Сьюз Гейзель, американский детский писатель и мультипликатор.

помогал расчищать. Здесь, между вишнями и персиками, в окружении орхидей и лилий, была выкопана яма, прямо в том месте, где накануне Мак корчевал цветущие кусты. Папа ждал их. Как только ящик был опущен в яму, Папа крепко обнял Мака, на что он ответил таким же крепким объятием.

Вперед вышла Сарайю.

— Мне,— произнесла она торжественно и поклонилась,— мне выпала честь исполнить песню Мисси, которую она сочинила как раз для этого случая.

И она начала петь, и голос, у нее был похож на осенний ветер, в нем слышалось шуршание листьев и медленное покачивание леса, отзвуки надвигающейся ночи и обещание зари нового дня. Это оказалась та самая привязчивая мелодия, которую, как он слышал, и Сарайю, и Папа напевали раньше, и теперь Мак услышал и слова своей дочери:

> Дыханьем на меня повей,
> Чтоб я могла дышать... и жить,
> К своей груди прижав, согрей
> И силы дай мой сон впустить.
>
> И в нежных вздохах ветра
> С тобой сольемся мы,
> Танцуя меж надгробий,
> В свет выходя из тьмы.
>
> Живущие не смогут
> Узнать простой ответ.
> Лишь только Тот, Кто жизнь дает,
> Чей выдох бережет от бед.
>
> И в нежных вздохах ветра
> С тобой сольемся мы,
> Танцуя меж надгробий,
> В свет выходя из тьмы.

Когда она допела, наступила тишина, а затем Бог — все трое одновременно произнесли: «Аминь».

Мак эхом повторил за ними «аминь», взял лопату и вместе с Иисусом начал забрасывать землей ящик, в котором покоилась Мисси.

Когда дело было сделано, Сарайю пошарила по карманам и вынула хрупкую бутылочку из своей бесценной коллекции и принялась старательно рассыпать слезы Мака на жирную черную землю. Капельки переливались алмазами и рубинами, и в тех местах, где они падали, немедленно прорастали цветы, тянулись к небу и раскрывались под блистающим солнцем. Сарайю секунду помедлила, глядя на жемчужину, которая лежала у нее на ладони, какую-то особенную слезинку, а затем уронила ее в самый центр поляны. И сейчас же из земли выскочило деревце и начало расти и взрослеть, пока не покрылось бутонами и не расцвело. Тогда Сарайю, в своей обычной манере движущегося воздуха, улыбнулась Маку, который смотрел на все как зачарованный.

— Это дерево жизни, Мак, растущее в саду твоей души.

Папа подошел к нему и положил руку на плечо.

— Мисси поразительная, ты сам это знаешь. Она по-настоящему тебя любит.

— Мне ужасно ее не хватает... и все равно так больно.

— Я знаю, Макензи. Знаю.

День перевалил за полдень, судя по солнцу, когда все четверо ушли из сада и вернулись в хижину. В кухне ничего не готовилось, и на обеденном столе не было никакой еды. Папа привел всех в большую комнату, где на кофейном столике стояла бутылка вина и лежал свежеиспеченный хлеб.

Все сели, за исключением Папы, который остался стоять. Он заговорил, обращаясь к Маку.

— Макензи,— начал он,— мы хотим сообщить тебе кое-что, требующее от тебя взвешенного решения. Пока ты был с нами, ты заметно исцелился и многому научился.

— Мне кажется, это еще слабо сказано,— хмыкнул Мак.

Папа улыбнулся:

— Мы особенно тебя любим, как ты знаешь. Но тебе предстоит сделать выбор. Можешь остаться с нами и продолжать расти и учиться или можешь вернуться к себе домой, к Нэн, детям и друзьям. В любом случае мы обещаем, что всегда будем с тобой, хотя здесь наше присутствие несколько более ощутимо и очевидно.

Мак откинулся на спинку и задумался.

— А что с Мисси? — спросил он.

— Что ж, если ты решишь остаться,— продолжал Папа,— ты увидишь ее уже сегодня днем. Она скоро придет. Но если ты предпочтешь покинуть это место, тогда и Мисси останется за пределами твоей досягаемости.

— Это нелегкий выбор,— вздохнул Мак.

Несколько минут в комнате стояла тишина, Папа дал Маку возможность самому сражаться со своими мыслями и желаниями. Наконец Мак произнес:

— А чего хотела бы Мисси?

— Твоя дочь была бы рада встретиться с тобой, но ведь она живет в таком месте, где не существует нетерпения. Она не против подождать.

— Как бы я хотел быть с ней.— Мак улыбнулся этой мысли.— Но тогда Нэн и другим моим детям будет тяжело. Позвольте задать вопрос. Важно ли, чтобы я вернулся домой? Имеет ли это значение? Я ведь на самом-то деле делаю не много, только работаю и общаюсь с семьей и друзьями...

Сарайю перебила его:

— Мак, если хоть что-нибудь важно, то важно все. Поскольку ты важен, важно и все, что ты делаешь. Каждый раз, когда ты прощаешь, вселенная меняется, каждый раз, когда ты касаешься чьего-нибудь сердца или жизни, мир меняется, от любого добра и служения, видимого или невидимого, исполняются мои намерения, и все перестает быть прежним.

— Хорошо,— проговорил в итоге Мак.— В таком случае я возвращаюсь. Сомневаюсь, что кто-то поверит моему рассказу, но знаю: я смогу что-то изменить, и неважно, насколько малы будут эти перемены. Кроме того, все равно осталось несколько дел, которые я обязан... гм, которые я хотел бы доделать.— Он помолчал, оглядел всех троих по очереди и улыбнулся.— Вы знаете...

Все засмеялись.

— И я действительно верю, что вы никогда не оставите, никогда не бросите меня, поэтому я не боюсь возвращаться. Ну, может быть, самую малость.

— Что ж,— произнес Папа,— это хороший выбор.

Теперь к Маку обратилась Сарайю:

— Макензи, вот ты возвращаешься назад, и у меня есть для тебя еще один подарок.

— Что же это? — спросил Мак, сгорая от любопытства.

— Он для Кейт,— сказала она.

— Кейт? — воскликнул Мак, сознавая, что мысль о ней по-прежнему тяжким грузом лежит у него на сердце.— Скажи же скорее.

— Кейт верит, что это она виновата в смерти Мисси.

Мак, ошеломленный, замер. То, что сказала ему Сарайю, было настолько очевидно. Ведь совершенно ясно, что Кейт должна винить себя. Это же она взмахнула веслом, что повлекло за собой цепочку событий, приведших к исчезновению Мисси. Он поверить не мог, что эта мысль ни разу не пришла ему в голову. За один миг слова Сарайю явили ему поведение Кейт в совершенно ином свете.

— Большое тебе спасибо! — сказал он Сарайю.

Его сердце было преисполнено благодарности. Теперь он точно должен вернуться назад, пусть ради одной только Кейт. Сарайю улыбнулась и вроде бы присела. Из-за стола поднялся Иисус, протянул руку к одной полке на стене и снял жестянку, принадлежавшую Маку.

— Мак, я подумал, тебе захочется забрать это...

Мак взял коробку из рук Иисуса и секунду подержал.

— Пожалуй, она мне больше не нужна,— сказал он.— Ты не мог бы сохранить ее? Все равно мои главные сокровища теперь заключены в тебе. Я хочу, чтобы ты стал моей жизнью.

— Я и есть,— последовал четкий, уверенный ответ.

Без всяких ритуалов, без церемоний они ели теплый хлеб и пили вино, смеялись, вспоминая забавные моменты этих выходных. Мак знал, что все уже позади, что ему пора отправляться домой, и думал, как лучше рассказать обо всем Нэн.

Он переоделся в походную одежду, все было постиранное и аккуратно сложенное. Одевшись, снял с крючка на стене куртку и в последний раз окинул взглядом комнату, прежде чем выйти.

— Господь и слуга.— Он засмеялся, но тут же почувствовал, как снова вскипают слезы, и эта мысль заставила его замереть.— От этого он еще больше Бог, мой слуга.

Мак вернулся в большую комнату, но все трое исчезли. У очага его дожидалась дымящаяся чашка кофе. Он не успел попрощаться, однако, когда задумался об этом, прощаться с Богом показалось ему несколько глупым. Мак невольно улыбнулся. Он сел на пол, прислонившись спиной к печке, глотнул кофе и ощутил, как тепло разливается в груди. Внезапно его охватила усталость, эмоции сделали свое дело. Его глаза словно обрели собственную волю, они закрылись, и Мак незаметно провалился в сладкий сон.

Затем он ощутил холод, ледяные пальцы заползли к нему под одежду. Он резко проснулся и с трудом поднялся на затекшие ноги, все его мышцы ныли от лежания на полу. Оглядевшись, он увидел, что все вернулось в то состояние, каким было два дня назад, вплоть до кровавого пятна у очага, рядом с которым он заснул.

Он вздрогнул и кинулся к разбитой двери, выскочил на сломанное крыльцо. Хижина — снова старая и уродливая, двери и окна прогнившие и разбитые. Зима сковала лес. Озеро едва виднелось за густыми зарослями шиповника и заманихи. Почти весь причал провалился в воду, осталось только несколько самых толстых опор. Мак вернулся в реальный мир. Подумав об этом, он улыбнулся. Больше похоже на то, что он вернулся в нереальный мир.

Он натянул куртку и пошел по своим старым следам, все еще видневшимся на снегу, к машине. Начал падать легкий свежий снежок. Обратный путь в Джозеф обошелся без приключений, он въехал в город в зимних сумерках. Залил под завязку бак, проглотил какую-то еду, не почувствовав вкуса, безуспешно попытался позвонить Нэн. Она, скорее всего, в пути, сказал он себе, а прием по дороге будет в лучшем случае слабый. Мак решил съездить в полицейский участок узнать, не там ли Томми, однако, подъехав к участку и не заметив внутри никого, решил не заходить. Как он вообще сможет объяснить, что с ним было, Нэн, не говоря уже о Томми?

На следующем перекрестке светофор переключился на красный свет, и Мак затормозил. Он устал, но чувствовал себя умиротворенным. Почему-то было радостно. Он с нетерпением предвкушал встречу с семьей, в особенности с Кейт.

Погруженный в свои мысли, Мак поехал через перекресток, когда загорелся зеленый. Он не успел увидеть, как сбоку на него несется другая машина, водитель которой явно не обратил внимания на красный сигнал светофора. Последовала ослепительная вспышка, а потом ничего, только тишина и чернильный мрак.

За долю секунды красный джип Вилли был смят, еще через несколько минут приехали пожарные, спасатели и полиция, а спустя часы Мака, без сознания и с переломанными костями, «скорая помощь» доставила в больницу «Эммануэль» в Портленде, штат Орегон.

Глава 18

Круги на воде

Вера никогда не знает, куда ее поведут,
зато она знает и любит Того, Кто ее ведет.

— Освальд Чамберс —

И наконец, словно откуда-то издалека, до его слуха добрался знакомый восторженный голос:

— Он сжал мне пальцы! Я почувствовал! Клянусь!

Он не мог открыть глаза, но знал, что это Джош держит его за руку. Попытался снова пожать ему руку, но навалилась темнота, Мак снова лишился сознания. Прошел еще целый день, прежде чем он опять очнулся. Он совсем не мог шевелиться. Даже поднять веко удавалось лишь ценой невероятных усилий, хотя его вознаграждали радостными криками и смехом. Один за другим перед его полуоткрытыми глазами шли вереницей люди, словно желая заглянуть в глубокую темную дыру, в которой скрывались невообразимые сокровища. То, что они видели, почему-то приводило их в неизъяснимый восторг, и они тотчас исчезали, чтобы поделиться радостью с другими.

Некоторые лица Мак узнавал, а те, что были незнакомы, как он скоро понял, принадлежали лечащим врачам и медсестрам. Он много спал, однако каждый раз, когда открывал глаза, это вызывало целую бурю эмоций. «Подождите, скоро я вам язык покажу, — думал он. — Вот тогда посмотрим».

Любое движение причиняло Маку боль, особенно когда сестра приступала к физической терапии, которая предупреждала образование пролежней. Это, судя по всему, было самым обычным лечением для тех, кто проводил без памяти столько времени, однако от осознания этого факта процедуры не становились приятнее.

Сначала Мак не имел ни малейшего понятия, где он и каким образом оказался в таком положении. Лекарства не помогали, хотя он был благодарен морфию за то, что тот притуплял острые края его боли. В течение следующих нескольких дней сознание постепенно прояснялось, начал возвращаться голос. Тянулась неиссякаемая череда родных и знакомых, все желали ему скорейшего выздоровления и хотели узнать что-нибудь о состоянии, но информации было не много. Джош с Кейт дежурили при нем постоянно, иногда делали уроки, пока Мак дремал, или отвечали на его вопросы, которые в первые два дня он задавал беспрерывно.

В какой-то момент Мак уяснил, хотя ему твердили об этом много раз, что после ужасной автокатастрофы в Джозефе он пролежал без сознания почти четверо суток. Нэн ясно дала понять, что ему многое придется объяснить, но пока что она была сосредоточена на его выздоровлении, а все вопросы отложила на потом. Только это не имело для него никакого значения. Его память была затянута туманом.

Он смутно помнил, что ездил в хижину, но с определенного момента воспоминания приобретали отрывочный характер. В сновидениях образы Папы, Иисуса, Мисси, играющей на берегу озера, Софии в пещере, а также огни и краски празднества на лугу являлись ему осколками разбитого зеркала. Каждое видение сопровождалось волнами восторга и радости, но он не знал, было ли это на самом деле или же это просто галлюцинации нейронов, поврежденных в аварии или доведенных до бреда наркотическими веществами, струившимися по его венам.

На третий день после того, как пришел в сознание, он проснулся и увидел весьма мрачного Вилли.

— Ты идиот,— проворчал Вилли.

— Я тоже рад тебя видеть, Вилли,— промямлил Мак.

— Кстати, где ты учился водить машину? — пробурчал Вилли.— Ах да, помню, фермеры не замечают перекрестков. Но, Мак, судя по тому, что я слышал, ты должен был унюхать того парня за добрую милю.— Мак смотрел, как мечется по палате друг, старался вслушиваться и понимать смысл его слов, но все было напрасно.— И вот теперь,— продолжал Вилли,— Нэн злая, как оса, и не желает со мной разговаривать. Она клянет меня за то, что я дал тебе ключи от джипа и позволил поехать в хижину.

— А зачем я ездил в хижину? — спросил Мак, стараясь собраться с мыслями.— Все расплывается.

Вилли застонал от отчаяния:

— Ты должен сказать ей, что я пытался тебя отговорить.

— А ты пытался?

— Не смейся надо мной, Мак. Да, я пытался тебя отговорить...

Мак улыбался, слушая брюзжание Вилли. В числе немногих вернувшихся воспоминаний было и то, как сильно любит его этот человек, и даже сейчас он улыбался только оттого, что друг был рядом. Мак внезапно вздрогнул, поняв, что Вилли придвинулся к самому его лицу.

— Нет, серьезно, он там был? — спросил он шепотом, а затем быстро огляделся по сторонам, убеждаясь, что их никто не слышит.

— Кто? — тоже шепотом спросил Мак.— И почему ты шепчешь?

— Ну, ты же знаешь,— настаивал Вилли.— Бог был в хижине?

Мак был изумлен.

— Вилли,— прошептал он,— это вовсе не тайна, Бог повсюду. Значит, и в хижине он был.

— Это я понимаю, дурья твоя башка,— вскипел Вилли.— Ты что, ничего не помнишь? Хочешь сказать, что не помнишь даже о письме? Ну, о том письме от Папы, которое лежало в почтовом ящике, когда ты поскользнулся на льду и разбил себе затылок?

Вот тогда все встало на свои места и полная картина начала вырисовываться в голове у Мака. Все обрело смысл, его разум соединил обрывки: записка, джип, пистолет, поездка в хижину и прочие подробности тех потрясающих выходных. Образы и воспоминания хлынули такой мощной волной, что ему показалось, сейчас они подхватят его и унесут из этого мира. И, вспомнив, он заплакал, слезы ручьями бежали по щекам.

— Мак, прости. Я что-то не то сказал?

Мак протянул руку и коснулся лица друга.

— Ничего, Вилли... Я вспомнил, теперь вспомнил все. Записку, хижину, Мисси, Папу. Я вспомнил все.

Вилли, не зная, что думать и что сказать, слушал бормотание Мака. Наконец спросил:

— Так ты хочешь сказать, что он там был? Я имею в виду Бога.

А Мак теперь смеялся и плакал.

— Вилли, он был там! О, он там был! Вот подожди, я расскажу. Ты мне не поверишь. Господи, да я и сам бы себе не поверил! — Мак замолчал, на миг погрузившись в воспоминания.— Кстати, он просил меня кое-что тебе передать.

— Как? Мне? — Мак видел, как тревога и сомнение сменяют друг друга на лице Вилли.— И что же он сказал?

Мак помедлил, подбирая слова.

— Он сказал: «Передай Вилли, что я особенно его люблю».

У Вилли отвисла челюсть, а глаза наполнились слезами. Губы и подбородок задрожали, и Мак понял, что друг изо всех сил старается сдержаться.

— Мне пора,— сказал Вилли сипло.— Потом ты все мне расскажешь.— И с этими словами он вышел из палаты, оставив Мака изумляться и вспоминать.

Когда затем пришла Нэн, она обнаружила Мака полусидящим на кровати и улыбающимся во весь рот. Он не знал, с чего начать, поэтому предоставил говорить ей. Она объяснила, что с ним случилось, безмерно радуясь тому, что он наконец-то способен воспринимать информацию. Оказывается, его едва не убил пьяный водитель, а потом была проведена операция, крайне сложная из-за множественных переломов костей и повреждений внутренних органов. Существовала реальная опасность, что Мак впадет в длительную кому, однако он очнулся, и самое страшное уже позади.

Слушая ее, Мак думал, что это действительно странно — попасть в аварию, проведя выходные в обществе Бога. Может, в этом и заключается непредсказуемость и хаотичность жизни, кажется, так говорил о ней Папа?

Затем он услышал, как Нэн сказала, что авария произошла в пятницу вечером.

— Ты хочешь сказать, в воскресенье? — уточнил он.

— Воскресенье? Думаешь, я не помню, какой был день? Был вечер пятницы, когда тебя привезли сюда.

Эти слова смутили его, и он подумал, не приснилось ли все, что произошло в хижине? Наверное, это просто один из фокусов Сарайю со свертыванием времени, успокоил он себя.

Когда Нэн закончила повествовать о злоключениях Мака после автокатастрофы, он приступил к рассказу о своей поездке. Но сначала попросил прощения, признавшись, как и почему солгал ей. Эти слова удивили Нэн, и она приписала их искажению сознания в результате травмы и приема морфия.

Полная картина прошедших выходных, или одного дня, как настаивала Нэн, медленно разворачивалась, высвобождая множество подробностей. Временами лекарства оказывали свое действие, и Мак проваливался в сон без сновидений, иногда даже посреди фразы. Сначала Нэн старалась просто проявлять терпение и судить без излишней серьезности, полагая, что его рассказ не что иное, как результат повреждения нервных окончаний. Однако живость и глубина его воспоминаний тронули Нэн и потихоньку подточили ее твердое намерение «сохранять объективность». В рассказах Мака была жизнь, и она поняла: что бы ни случилось с мужем, он очень сильно изменился в лучшую сторону.

Ее скептицизм убавился настолько, что она согласилась отослать Джоша с каким-то поручением. Мак не сказал, почему хочет остаться с ней и Кейт, но она уже была готова довериться ему.

Мак протянул руку, и Кейт пожала ее.

— Кейт,— голос его звучал пока еще сипло и слабо,— хочу, чтобы ты знала: я люблю тебя всей душой.

— Я тоже люблю тебя, папа.— Она едва не плакала, видя его в таком состоянии.

Он улыбнулся, затем снова посерьезнел, все еще не выпуская ее руки.

— Я хочу поговорить с тобой о Мисси.

Кейт вздрогнула, словно ее ужалила оса, лицо ее помрачнело. Она инстинктивно попыталась высвободить руку, но Мак держал крепко, на что уходили почти все его силы. Нэн подошла и обняла ее. Кейт била дрожь, она нервно озиралась.

— Зачем? — спросила она шепотом.

— Кейт, это не твоя вина.

Она колебалась, словно ее застигли врасплох, раскрыв самый главный секрет.

— В чем не моя вина?

Ему было трудно говорить, но она ясно услышала:

— В том, что мы потеряли Мисси.

Слезы катились по его щекам, пока он сражался с такими простыми словами. Она снова дернулась, отстраняясь.

— Милая, никто не винит тебя в том, что произошло.

Она молчала всего несколько секунд, прежде чем взорваться:

— Но если бы я не раскачала каноэ, тебе не пришлось бы...— голос ее прервался от ненависти к себе самой.

Мак перебил ее:

— Именно это я и пытаюсь тебе объяснить, детка. Это не твоя вина.

Кейт зарыдала, когда слова отца достигли ее истерзанной страданиями души.

— Но я всегда считала, что это я виновата. И думала, что вы с мамой вините меня...

— Никто из нас не ждал, что это случится, Кейт. Но это случилось, и мы научимся с этим жить. Только научимся вместе. Ладно?

Кейт не знала, что ей сказать. Раздираемая чувствами, рыдающая, она вырвалась из рук отца и выбежала из палаты. Нэн, по щекам которой катились слезы, посмотрела на Мака беспомощно и вышла вслед за дочерью.

Когда Мак проснулся в следующий раз, Кейт спала на кровати рядом, уютно свернувшись калачиком. Очевидно, Нэн помогла Кейт преодолеть боль. Когда Нэн увидела, что он открыл глаза, она подошла тихонько, чтобы не разбудить дочь, и поцеловала его.

— Я тебе верю,— прошептала она.

Он кивнул и улыбнулся, удивляясь, как, оказывается, важно было для него услышать это. Наверное, это лекарства сделали меня таким чувствительным, решил он.

Прошло меньше месяца с тех пор, как Мак выписался из больницы, и вот они с Нэн позвонили в Джозеф недавно назначенному помощнику шерифа, Томми Далтону, чтобы поговорить с ним о возможности еще раз обследовать окрестности хижины. Мак помнил, что перед его отъездом все в хижине вернулось в прежнее состояние... Так, может быть, и тело Мисси лежит в той пещере? Будет непросто объяснить представителям закона, откуда он узнал, где спрятано тело его дочери, однако Мак был уверен, что Томми не откажет.

Томми и в самом деле проявил понимание. Даже выслушав рассказ Мака о событиях тех выходных, который он отнес на счет кошмаров и видений все еще охваченного горем отца, он согласился съездить вместе с ним на место трагедии. Он все равно хотел повидаться с Маком. Из разбитого джипа полиция изъяла в интересах следствия какие-то его личные вещи, и желание вернуть их было как раз подходящим поводом, чтобы встретиться. Так что одним ясным и морозным субботним утром в начале ноября Вилли повез Мака и Нэн в Джозеф на своем только что купленном новеньком внедорожнике, там они встретились с Томми, и все четверо направились в резервацию.

Томми изумился, когда Мак прошел мимо хижины до дерева, отмечающего начало тропы. Как он и обещал, Мак нашел и показал красную дугу, нарисованную на основании ствола. Все еще слегка прихрамывая, он два часа вел остальных через заросли. Нэн не произносила ни слова, однако на ее лице явственно отражались переживания, которые с каждым шагом терзали ее все сильнее. Снова и снова они находили красную дугу, нарисованную на деревьях или камнях. К тому времени, когда они вышли к пустоши, засыпанной камнями, Томми был убежден в правоте Мака, наверное, благодаря не столько его безумному рассказу, сколько тому, что они двигались по старательно намеченному кем-то маршруту. Ни секунды не колеблясь, Мак свернул прямо в лабиринт валунов и отвесных скал.

Вероятно, они ни за что не нашли бы нужное место, если бы не Папа. Водруженный на кучу валунов перед входом в пещеру, торчал кусок скалы с красной дугой. Поняв, что именно сделал Папа, Мак едва не засмеялся вслух.

Они проникли в пещеру, и когда Томми окончательно поверил, что они нашли нужное место, он велел всем остановиться. Мак понял, почему это важно, и с некоторой неохотой согласился закрыть пещеру, чтобы сохранить все в целости. Они вернулись в Джозеф. Пока они ехали, Томми еще раз выслушал историю Мака, на этот раз с совершенно иным отношением. Он также воспользовался случаем научить друга, что ему следует говорить в полиции, — хотя у Мака было безупречное алиби, все равно его слова вызовут серьезные вопросы.

На следующий день эксперты слетелись к пещере, словно стервятники, вынимая останки Мисси и раскладывая по пакетам куски простыни вместе со всем, что смогли найти. Прошли считаные недели, а уже было собрано достаточно улик, чтобы выследить и арестовать убийцу божьих коровок. Основываясь на знаках, которые он оставил, чтобы самому найти пещеру, где спрятал Мисси, полиция вскоре сумела отыскать и извлечь тела остальных убитых им девочек.

Послесловие

Ну вот, теперь вы все знаете, во всяком случае, знаете ту историю, которая была рассказана мне. Я уверен, кое-кто из вас спросит, действительно ли все было так, как запомнил Макензи, или же от травмы и наркотических веществ у него просто помутилось в голове. Что касается Мака, он продолжает настаивать, что все — чистая правда. Перемены в его жизни, говорит он, служат достаточным тому подтверждением. Великая Скорбь ушла, и он проживает почти каждый день с глубоким ощущением радости.

Наверное, стоит сказать несколько слов о том, как произошедшее повлияло на меня самого. Как я уже писал в предисловии, история Мака меня изменила. Едва ли остался хоть один аспект моей жизни, в особенности касающийся взаимоотношений с людьми, который не был бы глубоко затронут. Считаю ли я поведанное Маком правдой? Я хочу, чтобы все это оказалось правдой. Наверное, даже если в каком-то смысле эта история и не является правдой, она все равно правдива, ведь вы понимаете, что я имею в виду?

А что же Мак? Да, он человеческое существо, находящееся в процессе перемен, как и все мы. Только он приветствует перемены, тогда как я им сопротивляюсь. Я заметил, что он любит людей сильнее, быстро прощает и еще быстрее сам просит прощения. Случившиеся с ним перемены, словно расходящиеся по воде круги, затронули его взаимоотношения со всеми, кого он знает, и не для всех они прошли легко. Однако, должен сказать, вы не найдете другого такого же взрослого человека, который жил бы так же просто и радостно. Он каким-то образом превратился в ребенка. Или, если точнее, он стал тем ребенком, каким ему не позволяли стать раньше, живущим простой верой в чудеса. Он принимает даже самые темные стороны жизни как часть невероятно богатого и замысловатого узора на гобелене, мастерски выполненного невидимыми руками любви.

Пока я пишу эти строки, Мак выступает свидетелем на суде по делу Убийцы Божьих Коровок. Он надеялся лично встретиться с обвиняемым, но пока что не получил разрешения. Однако он твердо намерен добиться свидания с ним, даже если это случится спустя много времени после оглашения приговора.

Если вам выпадет шанс пообщаться с Маком, вы скоро поймете, что он надеется на новую революцию, на сей раз революцию любви и добра, которая в истинном свете покажет нам Иисуса и все, что он сделал для нас и продолжает делать в каждом, кто жаждет воссоединения и места, которое сможет назвать домом. Это не та революция, которая перевернет все с ног на голову, а если и перевернет, то сделает это так, как нам и не снилось. Действовать будут повседневные тихие силы умирания и служения, любви и смеха, простой нежности и невидимой доброты, потому что «если хоть что-нибудь важно, то важно все». И в один прекрасный день, когда это откроется, каждый из нас опустится на колени и признает властью Сарайю, что Иисус — Царь всего Творения, осиянный славой Папы.

И еще одно, последнее, замечание. Я убежден, что Мак и Нэн время от времени ездят к той хижине, чтобы просто побыть там вдвоем. И я не удивлюсь, если Мак выходит на старый причал, снимает ботинки и носки и, как вы догадываетесь, ставит ноги на воду, чтобы выяснить, не здесь ли... ну, вы меня понимаете...

Вилли

Земля полна небес,
И каждый куст воспламенил Господь,
Но только тот, кто видит это, снимет обувь,
А остальные – срывают ягоды с куста.
— Элизабет Барретт Браунинг —

Благодарности

Я принес трем своим друзьям камень. Кусок гранита, вырубленный в карьере моего жизненного опыта. Эти трое, Уэйн Джекобсен, Брэд Каммингс и Бобби Доунс, с величайшей добротой и деликатностью помогали мне обтесывать этот камень, пока мы не увидели скрывавшееся внутри его чудо.

Уэйн первый увидел этот роман и принялся убеждать меня насчет публикации. Его энтузиазм, передавшийся остальным, заставил отшлифовать произведение и подготовить его к встрече с публикой в виде книги и, как мы надеемся, в виде фильма. Они с Брэдом добавили свои представления о том, как действует Бог, и сделали правдивой историю боли Мака и его исцеления. Они вдохнули в текст свою душу, и работа, которую вы держите в руках, получила свое нынешнее качество во многом благодаря их одаренности и жертвенности. Бобби поделился своим опытом по части производства кинофильмов и помог придать истории живость и внутреннее напряжение. Вы можете связаться с Уэйном по адресу www.lifestream.org, с Брэдом — через www.thegodjourney.com и с Бобби — через www.christiancinema.com. Ребята, я особенно люблю вас троих! Ура!

Многие, встречаясь с этим проектом, отдавали свое время и силы, чтобы отполировать его поверхность, добавить картинку или высказать свое ободрение или возражение, оставить в книге частицу своей жизни. Среди них дизайнеры Мариса Гиглиери и Дейв Олдрич, Кейт Лапин и в особенности Джулия Уилльямс, помогавшая с выходом «Хижины» в свет. Многие друзья выкроили время в своем плотном рабочем графике, чтобы помочь мне с редактурой текста, особенно его первых вариантов. Среди них Сью из Австралии, умница Джим Хоули с Тайваня и мой кузен Дейл Брунески из Канады. И еще есть множество тех, чьи взгляды, убеждения и дружеская поддержка сыграли свою роль.

Большое спасибо Ларри Джиллису с Гавайских островов, моему приятелю Дэну Полку из округа Колумбия, Мэри Кей и Рику Ларсону, Майклу и Рене Харрисам, Джулии и Тому Раштонам, семейству Гандерсон из Боринга, штат Орегон, а также моему большому другу Дейву Сардженту из Портленда, отдельным людям и семьям, проживающим в городе Портленде, и еще Клоснерам, Фостерам, Уэстонам и Данбарам из Эстакады (Орегон).

Я полон признательности клану Уорренов (который насчитывает сейчас уже сто человек), помогавшим Ким вытащить меня с темной стороны, моим родителям и канадским семьям: Янгам, Спэрроузам, Брунески и другим. Я люблю тебя, тетя Руби, я знаю, в последнее время ты сомневалась с этим. Кроме того, у меня нет слов, чтобы выразить, как я люблю Ким, своих детей и двух наших потрясающих невесток, Кортни и Мишель, которые как раз сейчас готовятся стать мамами наших первых внуков. Ура!

Творческий процесс стимулировали также и многие ныне покойные люди, такие как Жак Эллюль, Джордж Макдональд, Тозер, Льюис, Джибран, группа «Инклингз», Сорен Киркегаард. Но я также признателен и другим писателям и публицистам, в числе коих Рави Закариас, Малькольм Смит, Энн Ламотт, Уэйн Джекобсен, Мэрилин Робинсон, Дональд Миллер и Майя Ангелу, а также многие другие. Музыкальная составляющая вдохновения весьма эклектична и включает в себя «U2», Боба Дилана, Моби, Пола Колмана, Марка Нопфлера, Джеймса Тейлора, Бебо Нормана, Матта Вертца (ты нечто особенное!), Николь Нордман, Амоса Ли, Кирка Франклина, Дэвида Уилкокса, Сару Маклахлан, Джексона Брауна, «Индиго герлз», «Дикси чикс», Ларри Нормана и почти всего Брюса Кокберна.

Спасибо тебе, Энн Райс, за то, что полюбила эту историю и осветила ее своим музыкальным даром. Ты принесла мне (нам) невероятный подарок.

У большинства из нас свое собственное горе, сломанные мечты и искалеченные души, у каждого своя собственная потеря, своя собственная «хижина». Я молюсь, чтобы вы обрели ту же милость, какая была дарована мне, и чтобы неизменное присутствие Папы, Иисуса и Сарайю наполнило вашу пустоту невыразимой радостью и ярким сиянием.